D0610019

Paris la nuit

Du même auteur
aux Éditions J'ai lu

BALANCÉ DANS LES CORDES
N° 10152

JÉRÉMIE GUEZ

Paris la nuit

Chapitre I

Il se met à pleuvoir, de plus en plus violemment. Je m'arrête sous un porche, à deux pas de l'immeuble où j'ai grandi, non pas pour m'abriter, mais pour retrouver mon souffle ainsi que mes esprits. La sueur, mêlée à l'eau, ruisselle sur mon visage creusé par la peur, si omniprésente qu'elle redessine mes traits en un rictus absurde, un masque qui semble fixé par deux épines enracinées dans ma nuque et dont les pointes me chatouillent la gorge. Je dois me calmer, faire le vide dans ma tête, mais je sais d'avance que je n'y arriverai pas. J'ai les tempes serrées dans un étau, tout mon corps est tremblant, je ne contrôle plus mes jambes et je sens les spasmes arriver, comme après une crise de manque. La biture sèche, alors que je n'ai pas bu une goutte d'alcool... Je m'arrête sous un porche et m'appuie contre la porte. J'ai l'impression que ce morceau de bois soutient mon être entier et qu'il cède centimètre par centimètre sous mon poids.

Mes yeux se gonflent de larmes et, avant même que je ne puisse les chasser d'un revers de la main, elles se mettent à couler, brûlantes, sur mon visage. Je ne sais pas pourquoi je pleure et ça me fait peur. Je lève les yeux et vois les lumières du métro aérien. Paris la nuit, une épiphanie permanente qui vous laisse la tête toute retournée et le cœur asséché. Je suis épuisé, entre sommeil et éveil, mais jamais mon corps ne lâche. Je garde seulement un goût de cordite dans la bouche. Je me suis forgé mon propre succube, il vient chaque nuit me dévorer l'âme et je reste là, à le regarder faire.

Je m'efforce de réfléchir, de trouver une solution pour régler cette foutue histoire. Tout se bouscule dans ma tête, la lassitude et la tristesse sont remplacées par la rage et la peur, qui s'associent par bribes embrouillées et insaisissables. Mais cette confusion se dissipe subitement et je sens mon esprit se muer en furie, si vertigineuse qu'elle absorbe mon malaise, conditionnant mon être tout entier, forgeant ma conscience en une insatiable volonté de néant. J'attends de retrouver mon sang-froid pour me remettre en route, m'assurant d'un rapide coup d'œil que personne ne me suit.

Je tombe rapidement sur ce boulevard que je connais trop bien et me rappelle que tout a démarré ici à peine quelques semaines auparavant. Je réalise, comme si cette pensée devenait une ultime révélation, que ma vie

est ici et que, malgré sa violence et sa médiocrité, j'y suis attaché.

Tout commence un vendredi soir. Je fume
un joint, allongé sur mon lit, tandis que mon
père regarde la télé dans le salon, volume à
fond. Je tire une taffe, que je garde longtemps
pour mes poumons. Lorsque je recrache la
fumée, la télé n'émet plus de son. J'entends
mon père se lever et aller ouvrir la porte, des
voix résonner dans l'appartement. Je n'attends
pourtant personne et je sais que lui non plus.
Un « Police » retentit dans le couloir qui mène
à ma chambre. Je souris. Goran frappe une
fois à ma porte avant d'entrer.

J'ai rencontré Goran au collège. Les conneries à deux, les bagarres côte à côte et les
claques des adultes ont soudé notre amitié.
On a commencé à voler tôt, d'abord pour
nous, puis pour les autres. Avec le peu
d'argent amassé, on s'est mis à acheter de
l'herbe et à la revendre, puis un peu de coke
et d'héro, selon les moments.

J'ai l'impression que nos vies ne forment
en réalité qu'une seule expérience. Les maga-
zines de cul, les gardes à vue, les premiers
rails de came et l'acidité dans la gorge qui en
découle... rien de ce que je vis ne lui est
étranger. Nous n'avons pas besoin de nous
expliquer, on ressent les choses ou on ne les
ressent pas, c'est la seule distinction pour
nous.

9

De mes amis Goran n'est pas celui que je connais depuis le plus longtemps mais c'est avec lui que j'ai tissé les liens les plus forts. Il a perdu son père ; moi, j'ai perdu ma mère. Je ne me souviens pas d'en avoir déjà parlé avec lui mais cela a dû jouer dans notre relation. On a arrêté l'école depuis longtemps. On ne fait rien de nos vies, on les regarde couler, et cela ne nous gêne pas.

— Bah alors, tu déprimes ? lance-t-il, sans me regarder.

— Putain mec, je suis épuisé, j'ai pas envie de sortir. En plus je dois retrouver Julia en fin de soirée.

— Allez, on fait juste un tour.

— Non.

— Et si je te paye un petit remontant ?

Il sourit, ses yeux dans les miens. Tenir le pavé ne me tente vraiment pas… pas ce soir. Mais Goran dégage un sachet de coke de sa chaussette et on tape chacun une pointe sur mon bureau. Je m'étire, passe mon index sur le bureau avant de me frotter énergiquement les gencives avec.

Au moment de sortir je salue mon père. Mais la télévision hurle et il ne m'entend pas.

Je claque la porte et nous dévalons les marches de l'escalier quatre à quatre. La soirée est morte, le boulevard s'étend à perte de vue, désert, juste les lumières éclairent les quelques racoleuses et les fourgues en train de faire l'article, cherchant un pigeon ou un mec assez bourré pour leurs arnaques bidons.

— Alors, tu cherches toujours du taf ? me demande Goran.

— Nan, ça me gonfle. Tu sais, en m'arrangeant, à droite à gauche, j'arrive à pas être en chien. Je veux pas devenir un ponte, j'ai pas les épaules pour, mais je suis assez malin pour me lever à l'heure que je veux chaque matin.

— C'est ce que je t'ai toujours dit. De toute façon, t'en fais pas, si ça rate, t'auras toute ta vie pour faire l'épicier.

Goran se met à rire.

— Va te faire foutre, connard.

Nous décidons de marcher vers Pigalle et ses lumières crues. Pigalle la nuit me donne toujours l'effet d'un zoo. Les touristes viennent y admirer sa faune nocturne, et observent, d'une manière presque scientifique, la vie des putes, de leurs souteneurs et des dealers de coke qui traînent devant les boîtes bondées et vendent de la came trop coupée au talc.

On commence la tournée des rades. Malheureusement, la coke dans les moments calmes vous laisse tellement désœuvré qu'aucun verre d'alcool ne peut adoucir cette sensation.

Bientôt chacun de mes muscles, sous l'effet de petites piqûres répétées, bourdonne et leur vrombissement rythme la crainte qui m'a envahi de voir mon corps s'éveiller complètement et mon esprit s'emballer. Un état après lequel la coke peut rendre étrangement serein.

Ce n'est qu'au bout du cinquième verre que j'en arrive à être un peu éméché. Je veux rentrer mais Goran propose de nous payer un dernier coup dans le IXe arrondissement.

On s'introduit dans le premier bar ouvert de la rue des Martyrs. Goran commande deux whiskys au comptoir et nous nous installons, avec nos verres, dans un box du fond de la salle, sur des banquettes dont le cuir, autrefois rouge, a été poli par l'usure. Depuis dix minutes, nous ne parlons plus, chacun muré dans son mutisme, prisonnier d'une absence, celle ou l'on prend le temps de se regarder exister.

Goran brise le silence.

— Qu'est-ce qu'un mec pense, le jour où il devient fou ? Enfin, quand il dépasse le point de non-retour. Tu vois, qu'est-ce qu'il se dit, le matin où il se lève, et qu'il sent qu'il a basculé ? Peu importe la manière mais il le sent, il sait qu'il est désormais un marginal, un putain de sociopathe et il sait qu'il ne peut plus faire machine arrière.

Je n'ai pas le temps de réfléchir à une éventuelle réponse qu'il s'est déjà levé, brusquement. Je ne dis rien. Il va sûrement commander deux bières au zinc. Je consulte ma montre, sans réellement tenter de lire l'heure, avant de fermer les yeux, un instant.

Ce sont les voix, venant de l'entrée, qui me sortent de ma torpeur. Je me penche du côté de l'allée pour voir ce qui se passe. Le barman vient de surgir de derrière son comptoir pour s'interposer entre Goran et deux types, blousons en cuir, visages émaciés, creusés par l'alcool et la came. Le ton monte, les paroles deviennent menaçantes, agressives : « Qu'est-ce qui t'arrive, enculé ?… Viens, on va régler ça dehors. »

J'enfile mon manteau et me précipite vers le devant de la salle, là où a lieu l'embrouille. Ils ne se méfient pas de moi. Je donne la première droite. J'ai visé le menton, mais je sens mon poing heurter les dents du mec. Il vacille avant de rebondir contre le comptoir dans un bruit d'enfer, puis de cogner le sol avec la tête après que je lui ai asséné un violent coup de pied au visage.

Goran, de son côté, a sauté sur le second, qui est tombé à la renverse, le nez cassé, conséquence du violent coup de tête qu'il a reçu. L'un est évanoui, l'autre, à terre, se protège le visage de ses deux mains, implorant qu'on arrête de le frapper. Je me retourne vers mon ami, pour voir s'il n'a rien. Ses yeux sont humides, la commissure de ses lèvres est blanche, son visage est encore bouillonnant, rougi par l'afflux de sang et l'adrénaline.

— Il faut qu'on se tire, je lui balance.

À peine sur le trottoir, une voiture pile devant nous, gyrophare hurlant. Quatre condés en descendent rapidement. Goran se met à courir, avant même qu'ils nous disent de ne pas bouger. Je refuse de le suivre, il n'y a aucune chance de les semer et je n'ai pas envie de servir d'exutoire. Je sais pertinemment que les flics font payer la moindre parcelle de souffle qu'ils dépensent pour vous rattraper. Ça ne me tente pas trop de passer la nuit en cellule avec la gueule en sang.

— Contre le mur, connard…

La fouille commence. Je gémis, le souffle court, quand cet enfoiré en civil me palpe violemment les couilles. Mais je ferme ma gueule, ça lui ferait trop plaisir que je l'ouvre.

Deux autres policiers ont rattrapé Goran et l'ont menotté. Ils le font asseoir par terre.

— Bouge pas, lui ordonne l'un d'eux.

— Comment tu veux que je me tire avec des pinces, fils de… ?

D'une semelle dans les côtes, il l'empêche de finir sa phrase et le réduit au silence. Les autres policiers s'y mettent aussi et le martèlent de coups. Celui qui me surveille, semblant envier le processus de démolition entrepris par ses collègues, détourne un instant son attention de moi. J'en profite pour le bousculer d'un coup de pied, sans réfléchir, juste parce que je ne peux pas les laisser dérouiller Goran. Mais les flics se retournent immédiatement vers moi. Peu de temps après, mes jambes sont fauchées et ma tête heurte le sol.

Dans la voiture, ils m'étalent au pied de la banquette arrière, par terre. Ils n'ont pas pris la peine d'appeler un fourgon, notre transport jusqu'au poste aurait été bien trop agréable. Ils se sont contentés de demander une deuxième voiture, afin de nous séparer, Goran et moi. Celui que j'ai frappé plaque ma tête contre le sol avec ses semelles de Rangers. Il a serré les menottes jusqu'à couper ma circulation sanguine. Mes poignets me font mal, tout mon corps est engourdi, recroquevillé sur la largeur du véhicule. Mon arcade est ouverte, le sang s'en échappe et coule sur mes yeux.

Arrivé au poste, on me retire les menottes. Là, je fais la queue jusqu'à un bureau, frottant mes poignets violacés, encore endoloris. Poches vidées, ceinture enlevée, chaussures délacées, je rentre dans le couloir des cellules. L'odeur est acre, le sang, la sueur, l'urine se mélangent à l'eau de Javel, dont sont arrosés sommairement les sols et murs de chaque prison. Cette atmosphère suffocante est reconnaissable entre mille. Toutes les pièces réservées aux gardes à vue sont les mêmes. Le surveillant me dirige vers l'une d'entre elles. La seule question que je me pose est de savoir avec qui ils vont m'enfermer. La dernière fois, un connard de détraqué m'avait empêché de dormir. Il avait passé toute la nuit à frapper sur les barreaux.

Certes il s'arrêtait à chacun de mes cris, mais il recommençait son vacarme au bout de quelques secondes.

Je franchis la grille. La porte claque, bruit de l'acier rencontrant l'acier. Goran est déjà là, assis, contre le mur. Il me jette un coup d'œil distrait avant de sourire.

— Je crois que ces enculés te doivent un nettoyage à sec.

Je baisse les yeux et réalise que mes habits sont tachés de sang. Le mois dernier, j'avais passé dix heures en garde à vue, avec les narines en sang, avant d'être libéré le matin et de me rendre directement à un rendez-vous pour du travail, avec un œil poché et un nez qui avait doublé de volume. Je revois encore les yeux horrifiés de la secrétaire quand elle m'avait accueilli dans son bureau.

À part nous deux, il n'y a qu'un détenu dans la cellule, un gamin recroquevillé dans un coin de la pièce, qui s'efforce de ne pas croiser nos regards. Je vais m'asseoir à côté de Goran, ramassant au passage la couverture graisseuse, effilochée et déchirée qui traîne par terre, abandonnée et que personne n'ose toucher, par dégoût des mains impures entre lesquelles elle est passée, et qui l'ont souillée.

Le visiteur inopportun de ces murs, celui qui ne voit que les flics et les prisons à la télé, qui pense que tout ça n'est pas pour lui et qui se retrouve, après une soirée trop arrosée, ou une mésaventure quelconque, un soir, au poste, au milieu de tous, ne touche pas cette couverture, qui n'en est même plus une, et ce même s'il a froid. Car s'il la touche, il accepte ce confort médiocre. Alors il devient comme tous ceux qui l'entourent, ceux pour lesquels

les cages ont été inventées, ceux qui ne peuvent pas vivre en société... et c'est pour ça
que, dès que le surveillant ferme la porte derrière lui, et qu'il se trouve enfermé, il a envie
de crier, crier qu'il n'est pas fou, que c'est
sûrement un malentendu, que c'est même
une injustice. Et pourtant il reste condamné,
ne serait-ce que pour une nuit, à subir cette
orthopédie sociale qui consiste à enfermer un
homme ayant commis une faute. Mais il ne
pourra jamais supporter cette pensée, celle
d'être assimilé, pour une nuit, aux gens qui
peuplent les cellules.

Je m'endors sur le sol humide.

Le froid me réveille quelques heures plus
tard. Le gamin m'a volé ma couverture. Je me
lève, enchaîne quelques pas vers lui, sans
qu'il me voie.

— Hé, qu'est-ce que t'as sur les jambes là ?

Il fronce les yeux et regarde devant lui,
s'efforçant de fixer un point de l'espace, dans
l'espoir de ne pas croiser mes yeux.

— Putain, réponds sale petit con.

Il tremble, les yeux à demi clos, les
mâchoires serrées, pour ne pas se laisser
gagner par les sanglots. C'est la première fois
qu'il finit la soirée au poste, c'est écrit sur sa
gueule. Cela me ramène quelques années
auparavant... le fourgon, attaché à l'arrière,
à côté des plus grands, les habitués, qui me
balancent des coups d'épaule virils pour que
j'arrête de pleurer.

— Pourquoi est-ce que t'es là ? je l'interroge, pris d'une soudaine compassion.

Sa bouche s'ouvre mais aucun son n'en sort. Il sait que s'il parle les larmes couleront et ça, il ne le veut pas.

— Bon bah, la prochaine fois tâche de pas te faire choper.

Je lui laisse la couverture, je ne veux pas le secouer plus qu'il ne l'est déjà.

On nous laisse sortir vers midi. Je sais que le propriétaire du bar ne portera pas plainte. Je récupère mes affaires le premier et attends Goran, assis sur les marches, devant la porte, en suivant le manège des flics qui entrent et sortent façon « je t'emmerde, connard ».

Goran finit par surgir et, sans même me jeter un regard, il traverse la rue. Je le regarde faire, intrigué, avant de lui crier :

— Goran, qu'est-ce que tu fous... putain ?

— Viens, on va à Belleville voir les copains, il me répond.

C'est le jour du marché. La rue hurle, saturée par les étals, au milieu desquels se faufilent les gamins pour voler des fruits, et qui, une fois le larcin accompli, se mettent à courir, essuyant les réprimandes des vieux qu'ils bousculent sur leur passage.

On pénètre dans le premier troquet aperçu. Il est bondé. Autour du comptoir, des visages, tous rivés à l'écran de télévision qui projette une course de chevaux. Je file aux toilettes où je fais couler de l'eau froide dans le lavabo avant de m'en asperger énergiquement le

18

visage. En relevant machinalement la tête, je rencontre mon reflet, quelque peu trouble dans la saleté du miroir. J'essaye d'effacer toute trace de sang de mon visage. Mon arcade n'est plus qu'une strie violacée qui me recouvre grossièrement l'œil. Mon poing a gonflé et est marqué de petites coupures régulières, traces des dents du mec que j'ai cogné.

Je regagne le bar, plus frais et dispo qu'auparavant. Goran a réussi à trouver une place, et, d'un signe de main, il m'invite à le rejoindre. Je m'assois en face de lui, le remercie de me payer un café. Il avale le sien très vite. Après quoi, il quitte le bar à la recherche d'une cabine téléphonique sur le boulevard.

Je reste à la table, à observer les personnes faire la queue jusqu'au guichet, parier sur les chevaux, échangeant les billets froissés, extraits de leurs poches, contre un reçu. Il n'y a pratiquement que des étrangers. Les visages sont détendus, presque souriants, et derrière ces fronts lissés par cette insouciance passagère se devinent les mêmes espoirs : gagner un tas de fric et se faire la malle… tout flamber… plaquer sa femme, la laisser avec les gosses et se tirer de cette merde. Mais quand ils croisent mon regard, ils se renfrognent soudainement, s'en voulant de s'être emportés de cette manière, d'avoir laissé paraître cette naïve allégresse. À ce moment-là, ils se rendent compte que ce bout de papier qu'ils viennent d'acheter n'aura pour conséquence que de les frustrer un peu plus.

Mais la course va démarrer et il est trop tard pour raisonner. Déjà ils s'agglutinent tous autour de la télé. Ils parlent entre eux, s'interpellent bruyamment. Ils se lèvent parfois, explosant de joie ou de dépit, obnubilés par les chevaux qui courent à l'écran.

Et puis c'est la fin. Tous se rassoient et oublient le ticket qu'ils gardaient si précieusement il y a quelques minutes. Les yeux dans le vague, ils pensent à tout ce qu'ils ont sacrifié pour être ici et essayent de se souvenir de ce qui les a poussés à tout abandonner, à fuir leur pays. Ils passent leur temps à maudire la France, qui avait promis sans jamais offrir facilement, qui n'était pas comme là-bas. Je reconnais mon père dans tous ces gens, débordant de mélancolie et de nostalgie, pas foutus de parler français. Ils restent là, toute la journée au café à ressasser leurs douces désillusions, à se raconter des conneries, à cajoler leur malheur comme on caresse la tête d'un enfant malade. Je les méprise parce qu'ils sont stupides, ils ne comprennent pas qu'ils ne gagneront jamais à la loterie, parce que jamais personne ne gagne.

Goran entre avec les autres. Ils commencent à rire lorsqu'ils voient ma gueule.

— C'est de la faute de l'autre connard, pour une fois que j'étais tranquille, on se fait embarquer à cause de lui, et en plus il essaye de se tirer, et je prends un putain de mauvais coup à sa place, je me justifie, l'air aigri.

— C'est vrai qu'ils t'ont pas loupé les enfoirés, enchaîne Trésor.

— Change de sujet, tu vois bien qu'il est susceptible, dit Goran en souriant.

— Mais putain, ça me fait pas rire, je devais retrouver Julia et je me retrouve au poste. Qu'est-ce que t'avais besoin de t'embrouiller avec les deux mecs ?

— Je crois que t'es plutôt mal placé pour me donner des leçons.

— Mets-toi à ma place, merde. Je t'avais dit que je rentrais pas trop tard, qu'elle m'attendait... et toi t'en as rien eu à foutre. T'as fait le con, et qu'est-ce que j'ai gagné en échange, un putain d'œil poché et une nuit derrière une grille.

Le ton commence à monter.

— Vous êtes en train de vous donner en spectacle, on dirait deux branleurs de treize piges, nous coupe Nathan, resté debout.

Son visage ne trahit aucune expression. Il ne travaille pas sa froideur pour avoir l'air d'un dur, il a simplement désappris cette gestuelle que tout homme acquiert enfant. Même quand il rit, ses yeux ne suivent pas. J'ai toujours trouvé ça effrayant.

— Au fait tu devais pas aller voir ton frère hier ? je lui demande.

Il acquiesce.

— Il va bien ou quoi ? je poursuis.

— Ouais ça va, il survit, crache-t-il d'un ton sec signifiant son souhait de ne pas approfondir le sujet.

— Ça fait combien de temps qu'il y est ? lance Goran.

— Deux ans… plus que quatre à tirer, dit Nathan, les mots s'écoulant de sa bouche comme des billes de plomb.

— Bah, dans deux ans il pourra demander la condi, déclare Trésor en lui jetant un coup d'œil.

Nathan ne répond pas.

Nous quittons tous les quatre le café. Le temps tourne à l'orage. Rien de prévu pour le reste de la journée. Je suis crevé, je veux me laver et dormir un peu. Je les salue, ils n'essayent pas de me retenir. Je serre la main de Goran, en lui disant :

— T'as une ardoise chez moi, enculé.

— Ne t'inquiète pas, je la paierai, s'engage-t-il, le sourire aux lèvres.

Je prends la route de chez moi. J'ai à peine fait vingt mètres qu'une voix retentit derrière moi :

— Abraham, attends-moi !

Je déteste mon prénom. Entendre résonner toutes ses syllabes est pour moi un supplice. Abraham, un nom de prophète, donné à un type sans diplôme, qui préfère vendre de la drogue plutôt que de se trouver un boulot. Je me retourne, je vois mon père, les bras chargés de courses.

— Abraham, tu as oublié ta promesse. Tu m'avais dit que tu irais faire le marché ce matin.

— Je sais Papa, mais j'ai eu un empêchement.

Il fixe mon visage meurtri pendant quelques secondes avant de maugréer quelques mots inintelligibles en arabe. Je le débarrasse de ses paquets et nous avançons ensemble, côte à côte, sans échanger un mot.

Arrivés en bas de chez nous, je grimpe les marches de l'escalier quatre à quatre, laissant mon père derrière moi. J'ouvre la porte du petit appartement que nous occupons tous les deux, pose les courses sur la table de la cuisine et rejoins ma chambre. Là, allongé sur le matelas, je contemple le plafond, lézardé par l'humidité, pendant quelques secondes, avant de fermer les yeux et de m'endormir bientôt.

Je me réveille en fin d'après-midi, ma tête bourdonne, mon œil recommence à me lancer. J'ai besoin de prendre l'air. J'annonce à mon père que je vais sortir et que je ne rentrerai pas ce soir. Il acquiesce en gardant les yeux fixés sur la télé.

Chapitre II

Je l'attends dix minutes au coin de la rue, essayant de la deviner au milieu du flot d'étudiants qui sort de l'université et se déverse sur le pavé. Je déteste la rive gauche, c'est plein de connards blasés par leur existence de fils à papa désœuvrés, qui claquent l'argent parental en acides. La Sorbonne pullule de types comme ça et c'est pour ça que je n'aime pas y aller pour chercher Julia. Je me sens mal à l'aise avec ma dégaine de voyou au milieu d'eux. Elle sait donc que lorsque je l'attends, c'est au bout de la rue.

Perdu dans mes pensées, je la vois se précipiter vers moi et se planter à ma hauteur sans prononcer le moindre mot. Elle me fixe, droit dans les yeux, narquoise avant de tendre ses lèvres pour m'embrasser. Sa main effleure ma paupière gonflée. L'odeur de ses épais cheveux châtains, le contact de son corps, pressé contre le mien, me font l'effet d'une décharge, une douleur soudaine, une pointe acérée, dirigée sur ma nuque et mon bas-ventre. Elle me susurre quelques phrases à l'oreille, je ne sais pas très bien ce qu'elle me raconte, et à vrai dire je m'en fous. Elle joue avec mes nerfs, cela ne m'amuse pas, mais je ne trouve pas la force de la repousser.

— Excuse-moi pour hier soir.

Je ne lui en dis pas plus, je n'essaye pas de lui mentir, ma gueule et mes yeux encore injectés de sang me trahiraient.

Nous nous rendons chez elle, dans un petit appartement du Quartier latin que ses parents lui louent.

Julia propose que nous sortions et dînions au restaurant. J'aimerais bien lui dire oui mais je n'ai pas de quoi payer un repas. Comme si elle lisait dans mes pensées, elle m'annonce que ça lui ferait plaisir de m'inviter. Je ne veux pas qu'elle règle pour moi, je trouve ça humiliant et j'essaye de lui expliquer. Mais elle est déjà partie se changer.

— Comment tu me trouves ? me demande-t-elle avant qu'on parte.

Belle, affreusement, gardant cette pensée pour moi.

On part dîner dans un restaurant chicos de son quartier. L'endroit est bondé mais le serveur nous dégotte une table, dans le fond de la salle. Julia porte une robe légère. À son passage, les hommes lèvent le nez de leurs plats et dévorent ses courbes du regard. Puis ils jettent un coup d'œil surpris à son cavalier du soir, au visage marqué par les coups, à la démarche nerveuse, contrastant tellement avec la fraîcheur de la silhouette aperçue juste avant. Ils me matent de travers, comme si j'étais un mac qui récompensait la meilleure de ses filles après une dure semaine de labeur. Mais ça me plaît, j'aime les sentir tous envieux, navrés de voir une fille pareille à mon bras.

À peine installée, elle commande du vin. Elle ne boit pas beaucoup et je descends rapidement la bouteille.

— Comment c'était les cours ? je l'interroge, une fois rafraîchi par l'alcool.

Elle me détaille sa journée mais je suis incapable d'écouter ce qu'elle me dit. Je la regarde, l'esprit embrumé, figé, prisonnier consentant d'une douce mélancolie.

— Tu ne m'écoutes pas, je le vois à tes yeux.

Je souris, incapable de répondre quoi que ce soit.

— Qu'est-ce qu'il s'est passé hier soir pour que tu récoltes un œil poché ?

Cette fois ma voix n'hésite pas une seule seconde.

— J'ai un ami qui s'est battu avec des types. On a fini au poste.

— Qui est cet ami ?

— Tu ne le connais pas.

— Je ne connais aucun de tes amis, tu refuses de me les présenter...

— C'est faux, c'est juste que... c'est pas des types pour toi.

— Tu me prends pour une petite fille, c'est ça ?

— Écoute Julia, j'en ai rien à foutre de tes crises d'enfant gâtée, je te présente à qui je veux et je ne vais pas me justifier.

J'ai haussé le ton. Elle lève les bras au ciel comme si elle se rendait.

— D'accord, d'accord, il a un prénom au moins ce garçon ?

— Oui, il s'appelle Goran.

J'ajoute, laissant les mots glisser sur mes lèvres, que je ne crois pas qu'il y ait une personne au monde que je connaisse mieux que lui.

La chaleur n'est pas retombée quand nous sortons du restaurant et ma tête commence à bourdonner. À peine rentrés chez elle, je m'affale sur le lit et Julia vient rapidement s'allonger à côté de moi. Lorsqu'elle passe sa main dans mes cheveux, je suis déjà loin, très loin d'elle. Comme je ne réagis pas, elle décide de promener ses doigts glacés sur ma nuque. Le déclic est soudain. Je sens son corps ferme se presser contre le mien et le désir bondir de ma tête pour filer jusqu'au creux de mes reins. Je me dis que je ne dois pas me décharger de toute ma violence de cette manière, mais il est déjà trop tard. Nous faisons l'amour deux fois. Elle me chasse d'un baiser le lendemain matin, avant de partir suivre ses cours.

Pour rentrer dans mon quartier, je choisis de marcher. Je passe devant le Louvre, observe les touristes qui grouillent devant cette foutue pyramide. Les premières gouttes de sueur naissent sur mon front alors que je remonte l'avenue de l'Opéra. Le bruit, plus le soleil qui tape sur ma nuque, rendent la balade pénible. Je décide finalement de prendre le métro à Saint-Lazare. Je descends à Jules-Joffrin et me paye un petit joint, au soleil, sur un banc du square Léon. L'herbe me fait du bien et je reprends ma route, avec un grand sourire imprimé sur la gueule. J'arrive chez moi, personne dans l'appartement. Je gagne ma chambre, ferme la porte et glisse la main sous mon matelas pour en extraire un petit sachet plastique à fermeture pression. Il se cache près de trois grammes de coke à l'intérieur. J'ouvre le sachet, étale son contenu sur un boîtier de CD et hache le petit tas blanc constitué avec une carte téléphonique pour le séparer en deux amas distincts. J'enfourne l'un d'eux dans un autre sachet, que je planque sous mes couilles, replace l'autre sous mon matelas et décampe.

Je souhaite seulement prendre l'air, mais je ne veux pas louper l'occasion de ramasser quelques billets si elle se présente.

M'attardant en bas des immeubles, je regarde les gamins jouer au foot dans la rue, les mères qui crient par les fenêtres, les galériens de tous âges qui squattent le bitume. Je suis né ici, toute ma vie se limite à cet

29

endroit. Longtemps, j'ai cru que l'existence c'était ça, ce bordel incessant. Ce n'est qu'en vieillissant que je me suis rendu compte que le bruit n'est inhérent qu'à la pauvreté. Cette fureur qui s'autoalimente est créée par le manque d'éducation, la violence et l'absence totale d'intimité. Là d'où je viens, on vit tous dans une même pièce, dans des appartements séparés par des cloisons épaisses comme du papier à cigarette. Dans ma rue, le repos est interdit, et on grandit tous de la même façon.

Je pense à tout cela en marchant. Je croise quelques connaissances, papote un peu avec elles, ne manquant pas de leur proposer un peu de blanche. Toutes me répondent qu'elles n'ont besoin de rien pour le moment.

La fin de l'après-midi s'annonce et je me dis qu'il vaut mieux rentrer. Malgré la soirée avec Julia, j'ai encore la nuit de garde à vue sous la peau. Je sens monter une nouvelle crise de manque, mes mains étant sous l'emprise de tremblements et mon corps entier de spasmes. Je suis vidé de tout désir, de sentiment de faim ou de pulsion sexuelle, guidé par la seule envie de reprendre le contrôle de mon métabolisme ou de m'en mettre une couche à même le goulot d'une bouteille de whisky pour faire passer toutes mes sueurs froides. J'ai un goût amer dans la bouche et une odeur humide et aigre court sur tout mon corps.

Je sais que je dois me vider complètement si je veux passer une bonne nuit et éviter un réveil en pleine nuit, avec des chauves-souris plein le crâne. Je poursuis mon errance vers l'est. Je récupère le boulevard de la Chapelle et me dirige vers Stalingrad. J'ai marché toute la journée mais je ne parviens toujours pas à m'épuiser. Je prends le boulevard de la Villette guidé par mes jambes. C'est alors que j'aperçois Nathan, descendant la rue de Belleville. Il me salue de la main. Je traverse la rue pour le rejoindre.

— Qu'est-ce que tu fais ici ?

— Rien, je traîne dans le coin, je lui réponds.

— T'arrives pas à évacuer ta nuit ?

— Ouais, je crois que c'est ça.

— Je vois ce que c'est. Allez viens à la maison, je te paye un bédo.

Nous dévalons la rue jusqu'à son terme et traversons le boulevard de Belleville jusqu'à chez lui. Il habite seul dans un studio. Je m'assois sur le canapé, lui dans un fauteuil. Il me balance un sachet d'herbe et des feuilles et me dit de rouler le joint. J'obéis, allume le cône et conserve longtemps la première taffe dans mes poumons avant de la recracher lentement sous la forme d'un mince nuage de fumée. Je me détends peu à peu et on commence à discuter.

— Mon père m'a demandé des nouvelles de ta mère. Il m'a dit qu'elle ne venait plus à la synagogue pour shabbat.

— Tu sais, amorce-t-il, cherchant ses mots, l'air perplexe... Tu sais, depuis que mon père est mort, elle ne va pas très bien et puis maintenant... elle a un fils en prison, donc Dieu elle n'y... enfin voilà tu comprends, je crois qu'elle a d'autres problèmes en tête.

J'acquiesce silencieusement, m'en voulant un peu d'avoir parlé de ça. Il doit lui aussi sentir que l'atmosphère devient un peu lourde.

— Ça te dit une bière, mec ?

J'accepte et il rapporte bientôt un sac de six canettes qu'il pose sur la table.

On reste là, installés dans son salon, à bavarder en buvant. J'aime bien Nathan parce que lorsque je discute avec lui, il me parle d'autres choses que d'histoires de came, d'embrouilles et de mecs qui sont tombés. Il est plus intelligent que le reste de la bande et je pense que c'est pour ça qu'il sourit si rarement, il a compris un truc qui nous échappe. Pourtant, il continue à traîner avec nous. Je réalise à cet instant qu'il est de la même trempe que son frère André. J'ai toujours l'image du grand Dédé, affable avec moi mais capable de refaire la tronche d'un mec qui l'a regardé de travers à coups de marteau. Dédé est tombé pour braquage il y a deux ans. Je ne le connais pas bien. Toutefois, lorsque je songe à lui, à sa tronche et ses manières à la cool qui appartiennent à une autre époque, j'ai l'impression de penser à un mort. Je suis sûr que je le reverrai un jour, même dans dix ans, mais ce ne sera plus le même mec parce que la prison l'aura démoli.

Vers vingt heures, on décide d'aller faire un tour. La nuit n'est pas encore tombée, mais les néons aux couleurs criardes sont déjà allumés.

— J'ai un truc à faire sur le boulevard, tu m'accompagnes jusque là-bas et je te paye un verre. Après, tu rentres chez toi et moi je règle mon affaire.

J'accepte son offre.

De nouveau Belleville. On déniche un bar quelconque, aux tables rondes cerclées de zinc. On commande deux demis avant de s'installer. L'endroit est presque vide. On sirote tranquillement nos bières. Alors qu'on vient de finir nos verres et que l'on s'apprête à partir, un homme entre dans le bar. Il est grand et maigre, les joues creusées, des sillons sous les yeux, les cheveux plaqués en arrière brillant sous la lumière morne des spots. Il lâche un « salut » au barman avant de lui serrer la main, et de sourire, dévoilant des dents en or et en platine sur le côté de la bouche.

Il se dirige vers l'arrière de la salle, où un type, assis seul à une table, le voyant s'approcher, interrompt la lecture de son journal pour hisser son imposante silhouette et lui ouvrir une porte dont il a la garde et sur laquelle est inscrit « Privé ». Son devoir accompli, il referme celle-ci et s'étire, laissant ses muscles jouer sur son cou de taureau, puis il reprend sa place et enfin sa lecture. Nathan remarque que j'observe le colosse et m'adresse un geste, me faisant comprendre qu'il m'expliquera dehors. Nous quittons le café.

— Putain, c'est quoi ce remue-ménage ? je l'interroge à mon premier pas sur le trottoir.

— Ils viennent jouer aux cartes derrière.

— Qui ? je demande, du tac au tac.

— Des assez gros, ça joue pas mal, entre eux.

Je commence à gamberger, à me perdre dans mes pensées. Je ne saisis pas bien ce qui se passe dans ma tête mais je sens une excitation mêlée de peur naître dans toute ma nuque. Lorsque je relève les yeux, je réalise que Nat me regarde, amusé, le sourire aux lèvres. Il ne me dit rien mais je suis sûr qu'il sait déjà tout, et que c'est ce regard furtif qui a fait basculer mon existence. Je le salue et rentre chez moi, la gueule en vrac.

Malgré le soleil, le vent me glace les os. Je suis sur une plage, le ressac des vagues me fait mal à la tête. Je vois un corbeau sur le sable, il relève sa tête noire vers moi, me fixe, avant de détourner les yeux et de prendre son envol. Puis je distingue une silhouette assise et je la reconnais immédiatement. Je cours vers elle et crie, elle ne se retourne pas. Je trébuche sur le sable mais je me relève à chaque fois et continue ma course. Lorsque j'arrive devant elle, je n'ai plus de souffle, mon cœur me brûle la poitrine. La femme ne me regarde pas. Même

si elle sait que je suis là, elle me tourne tou-
jours le dos. Je m'approche et j'entends des
mots s'échapper de ma bouche.

— Maman, mais qu'est-ce que tu fais là ?

Elle se lève et tourne lentement la tête dans
ma direction, sans répondre immédiatement à
ma question.

— Jeune homme, je dois rentrer mainte-
nant, me dit-elle lorsqu'elle me fait face.

Ses mots se confondent avec le vent glacé.
C'est alors qu'elle se met à marcher lentement
vers l'eau en me montrant à nouveau son dos.
Les vagues commencent à fouetter son corps
frêle et sa peau fripée par le cancer semble se
retendre, glacée par la morsure de l'eau. Je
hisse la tête vers le ciel et je ferme les yeux.
J'entends un cri. Lorsque je soulève mes pau-
pières elle a disparu et il ne reste que l'écume
qui vient mourir à mes pieds.

Je me réveille en sursaut, les draps pleins
de sueur, avec dans la tête le bruit du rotor
d'un hélicoptère qui prend de l'altitude et la
perception claire de ce que je dois faire :
parler à Nathan.

Je me rends chez lui et sonne à sa porte. Il
m'ouvre immédiatement. Je le surprends en
caleçon et en train de se préparer du café. Il
ne paraît pas étonné de ma visite. Je m'assois
sur le canapé, l'air un peu interdit.

— Comment ça va ?

— Abe, viens-en au fait, je t'en prie. Tu ne
te pointes pas chez moi de bon matin pour

prendre de mes nouvelles alors qu'on s'est vus hier soir ?

Je me racle la gorge bruyamment avant de parler, en prenant soin d'articuler chaque syllabe.

— Je veux qu'on braque les types du bar. Je suis sûr que c'est un coup facile à organiser et qu'on peut récolter un maximum d'oseille sans prendre trop de risques.

Je m'attends à ce qu'il réponde quelque chose mais il se contente de me regarder.

— Ces types, ils ne vont pas porter plainte, tu comprends, et puis cet argent c'est pas grand-chose pour eux. Il suffira de partir quelques semaines et puis tout va se tasser et on reviendra comme si de rien n'était, je continue, gêné par son silence.

— Je sais déjà tout ça, Abe... je ne sais juste pas si on doit le faire.

— T'es con ou quoi ? Cet argent nous tend les bras... fais ce que tu veux, moi je vais en parler aux autres.

— Je ne te parle pas d'argent là, je veux juste savoir si tu es vraiment prêt à rentrer dans un bar cagoulé avec une arme à la main. Tu te souviens de mon frère, du bonhomme que c'était, je l'ai vu vomir avant de monter ses coups.

— Bien sûr que j'ai peur...

— Ce n'est pas seulement une question de peur... si on réussit à obtenir de l'argent avec des armes, nos vies vont changer.

36

— Mais non, il n'y aura pas de changements, on ne sera même pas recherchés par la police. On entre et on sort, ça ne va pas plus loin que ça.

— Abraham, tu ne le sais pas encore, mais si tu sors de là indemne, tu banderas tellement que tu recommenceras.

Nathan ne m'appelle jamais par mon prénom. Je déglutis et lui dis, pour me convaincre, qu'il raconte des conneries. Mais intérieurement, je prie pour qu'il se trompe, et je demande de l'aide pour sanctifier le mal que je vais faire autour de moi.

J'annonce à Nathan qu'il faut immédiatement en parler à Goran. Je pense qu'il va me répondre d'attendre un peu mais il n'en est rien.

Goran est debout sur le perron de son immeuble, avec d'autres types. Il a l'air jovial. De loin, je vois sa silhouette massive s'agiter, pendant qu'il raconte une histoire au reste du groupe qui finit par éclater de rire.

— Hé mec, amène-toi au lieu de faire le clown, l'interpelle Nathan du trottoir d'en face.

— Putain, Nat, je viens juste de descendre de chez moi et déjà tu me tombes dessus.

— Allez, fais pas d'histoires, je lance à mon tour, alors qu'il ne m'avait pas vu.

— T'es là toi aussi... putain les gars... oh puis merde.

Il salue les types avec qui il était et nous rejoint.

— Bah alors, qu'est-ce que vous me voulez, les gars ? Nathan me jette un regard pour me faire comprendre que c'est à moi de parler. Je déglutis.

— Bon, les enfants, je vous intimide ou quoi ? Allez, crachez le morceau.

Je me lance et lui raconte tout. Il m'écoute sans m'interrompre. À la fin de mon récit, il enserre mes épaules de ses bras musclés.

— J'ai toujours su que c'était toi le cerveau de la bande, Abe. Putain, c'est toujours toi qui trouves des putains d'idées. Si j'étais pas ton pote, je crois que je serais jaloux, me dit-il, un sourire jusqu'aux oreilles.

Avec Nathan, on le dévisage, sans savoir s'il est ironique ou non.

— Hé les gars, arrêtez de flipper, bien sûr que j'en suis, bande d'enculés.

L'équipe commence à se monter, et mon cerveau se met à tourner en surmultipliée.

Je rentre chez moi, le visage congestionné par le froid. Les lumières de l'entrée sont éteintes, seul le halo de la télévision éclaire le visage de mon père, qui somnole dans le canapé. Cette vision chasse de ma tête les images du bar.

Mes parents sont nés en Afrique du Nord, moi je suis venu au monde en France. Pendant longtemps ils n'ont pas pu avoir d'enfants. Un jour ils ont réussi et ils ont voulu recommencer. Je n'ai pas beaucoup de souvenirs de ma mère, elle est morte lorsque j'avais cinq ans, en accouchant d'une fille qui aurait dû devenir ma petite sœur. Depuis, j'habite avec mon père. Nous n'avons presque aucun rapport, nous cohabitons simplement. Je vis ma vie, lui vit la sienne. Généralement, lorsque les flics viennent toquer à la porte du domicile familial, c'est, chez nous, le signe qu'on est devenu adulte et qu'il faut partir. La plupart de mes amis ont été virés de chez eux. Mon père me dit souvent que je suis un bon à rien mais, sans doute par culpabilité, il accepte encore ma présence sous son toit. La vérité est qu'il se fout de la vie de son fils. Comme je ne me préoccupe pas de la sienne, tout va bien. De toute façon je n'ai jamais réussi à lui parler, même lorsque ma mère était vivante, lorsque j'étais enfant. Il a toujours eu l'air effrayé par ma présence, comme si mon existence remettait en cause la sienne, comme si le fait de se contempler en miniature faisait revenir ses échecs au galop.

Je regarde les images du téléviseur danser sur mon père, qui gît, inerte dans le canapé. Je reste dans l'entrée, sans savoir pourquoi. Pendant une seconde, je suis tenté de décamper à nouveau. Finalement, je décide de refermer la porte et d'effectuer quelques pas vers le salon. Je m'assois à côté de lui avant de lui secouer légèrement l'épaule.

— Ça va Papa ? je l'interroge doucement.

Il met un peu de temps à émerger avant de me répondre qu'il va bien.

Je demeure planté là pendant quelques secondes, sans savoir si j'aimerais parler ou pas. Il reste silencieux lui aussi, le regard rivé sur la télévision. Je finis par me lever, lentement, au cas où il se déciderait à me fixer dans les yeux et à me le dire, à me dire qu'il me déteste, que ma présence lui est insupportable, que toutes les nuits il pense à m'étrangler dans mon sommeil. Mais ses pupilles restent scotchées à l'écran de la télé. Je lui souhaite bonne nuit. Il me répond d'un signe de la main.

Le jour arrive rapidement. Je pars retrouver mes amis chez Nathan. Ils sont tous les trois dans le salon lorsque je débarque. Goran vient de finir de causer.

— Alors qu'est-ce que tu en penses ?

— Vous êtes malades les gars, dit Trésor.

Trésor, un grand Black, est un pote de Nathan, devenu avec le temps un très bon ami à nous. On a tout de suite pensé à lui pour le coup car c'est l'un des types les plus fiables que nous connaissons. Il est discret mais ne rechigne jamais à aller au charbon. Je l'ai déjà vu se battre comme un enragé contre trois skins armés de cutters pour finir par les étaler avec ses seules mains. On savait que, s'il ne marchait pas, on ne retrouverait pas un gars de son acabit.

Goran s'agite, remue les mains, essayant de le persuader de ce qu'il conçoit comme une évidence.

40

— Mais putain de merde, c'est un coup en or. On peut se faire un peu de blé sans risque, mec. C'est de l'argent sale, donc pas de police à l'arrivée.

— C'est bien ça qui me tracasse, gros con. Dis-toi bien que je préfère cent fois avoir ces abrutis de flics sur mon dos que de me taper des pontes du quartier. Ces mecs-là, ils plaisantent pas, on est des fistons, nous, comparés à eux.

Trésor est hésitant mais il sait qu'il ne nous fera pas changer d'avis.

— Vous savez que je déteste qu'on me force la main…

— Oh tu vas me faire chialer, putain. On te propose un gros tas de fric et toi tu nous sors tes sentiments.

— Va te faire foutre, Goran… et vous aussi putain…

Il regarde ses pieds, la tête entre ses mains, se massant les tempes avec le bout de ses doigts.

— J'en suis.

— Très bien. Maintenant il nous faut quelqu'un pour voler la voiture et la conduire, lance Goran.

— Je m'en occupe, j'ai déjà quelqu'un de confiance, je réponds en hochant lentement la tête comme pour mieux les convaincre.

— C'est qui ?

— Karim.

— Karim, le mec de la cité Michelet ? demande Trésor.

— J'aime pas ce type, dit Goran.

— Oh putain, Goran, arrête tes conneries. On le connaît depuis des années.

— Peut-être, mais je l'ai jamais senti ce mec-là, je sais pas pourquoi...

— Tu connais un type capable de chauffer une bagnole aussi vite ?

— Bon d'accord, d'accord, mais c'est bien parce que c'est toi, ajoute-t-il en souriant.

Nous passons les jours suivants à essayer de tout mettre en place, à nous familiariser avec les lieux pendant la journée et à boire un coup dedans à la nuit tombée. Chacun est chargé d'observer la salle discrètement, le temps d'une bière. On a décidé que Nathan et moi ne devions pas y retourner, pour ne pas griller nos têtes dans le coin.

On se rend finalement compte que c'est le jeudi soir qu'il y a le plus de monde, avec des joueurs qui restent jusqu'au petit matin. On apprend que ces mecs-là touchent à tout dans le quartier : came, filles... Ils arrivent vers minuit, prennent un verre, et, après que le patron a fermé son rade, ils s'installent derrière et ressortent vers six heures du matin. Le coup n'est pas très scientifique : on rentre, on sort. Mais il peut nous rapporter gros. On doit seulement être déterminés et ne pas craquer.

Il nous faut des armes et montrer qu'on est prêts à s'en servir. Karim conduira la voiture, je le connais depuis longtemps, lui aussi, et il n'existe pas dans mon entourage quelqu'un capable de voler une tire aussi vite et discrètement que lui. Il n'y a personne de l'extérieur dans la bande, on se connaît tous depuis qu'on est gamins : Karim, Trésor, Nathan, Goran et moi.

Nathan s'occupe des armes. Il nous donne rendez-vous mardi matin. Lorsque j'arrive chez lui, ce jour-là, sur les coups de dix heures, tout le monde est déjà là.

Il tire une couverture de sous son canapé, la pose difficilement sur la table, avant d'en rabattre le pan et de nous offrir une vision chromée de la mort. Il a apporté deux fusils à canon scié, aux percuteurs limés, et deux revolvers. Il nous explique que c'est des .38. J'en prends un par le canon, maladroitement, avant de l'équilibrer dans ma main et de serrer la crosse jusqu'à sentir le bois strié me brûler la paume.

Je lève l'arme devant moi, entrevois la lumière par le prisme du barillet vide et des chambres qui se détachent, comme autant de fenêtres mortes sur le jour. Je tends le bras et observe le monde brûler tandis que des vapeurs de métal chaud me piquent les yeux. Je rabaisse le flingue et tout redevient normal. Je réalise alors que les autres me regardent en silence. Je leur envoie un sourire gêné et le ponctue en allant m'asseoir dans le canapé pendant qu'ils essaient les armes à leur tour. Assis, la main encore tremblante, je me demande comment mes nerfs vont tenir deux jours de plus.

Tous les soirs, pendant une semaine, on se donne rendez-vous chez Nathan pour répéter ensemble les étapes du braquage. Chaque fois que le soleil se couche et que nous nous réunissons, on entend les paroles de Nathan résonner dans la pièce.

— Mercredi soir, chacun rentre chez soi et on ne se voit plus jusqu'à vendredi. On se tient calme, on la joue cool les mecs… Vendredi à l'aube, Karim, tu voles une voiture avant de nous rejoindre devant le terrain vague. On monte dans la voiture pour un trajet d'une dizaine de minutes jusqu'à Belleville. Soyez à l'heure, comme si vous alliez au taf les gars. On rentre dans le bar. Karim, tu nous attends dans la voiture. On a quinze minutes maximum pour faire le travail.

À force d'entendre répéter les mêmes choses chaque soir, je laisse mon esprit divaguer. Je m'imagine dans la voiture, roulant dans un Paris désert, l'arme serrée contre ma poitrine et les jambes tendues pour leur éviter de flancher. Je vois le dernier virage s'annoncer à travers le pare-brise, le véhicule s'arrêter d'un coup, en double file, et nous tous en gicler, silhouettes fantômes aux visages recouverts par des cagoules et des bas en nylon, avant d'en claquer les portières et de rentrer dans le bar, brisant la brume de nos pas lourds.

Le mercredi soir, la voix de Nathan chasse ce film de ma tête.

44

— J'ai une dernière chose à vous dire. Mon frère m'a toujours dit que lors d'un braquage il ne faut jamais beaucoup parler, il faut seulement ne pas donner l'impression d'hésiter. Sinon, il y a des morts.

On se quitte là-dessus, sans se serrer la main, laissant ces paroles flotter dans l'air.

Chapitre III

Le jour se lève plus vite que prévu pour toute l'équipe. Une journée et une nuit à attendre, avant que tout ne change.

Karim passe le jeudi chez lui, à fumer quelques joints et à tuer le temps, en essayant de ne pas trop penser à ce qui l'attend. Karim ne veut décevoir personne. À la nuit tombée, il se prépare du café et le boit en regardant la télé d'un œil distrait. À deux heures et demie du matin il enfile sa veste et sort. Une demi-heure plus tard, il est en route vers le lieu du rendez-vous au volant d'une Renault banale, comme il y en a des milliers à Paris.

Trésor connaît une journée normale et se couche de bonne heure. Lorsque son réveil sonne, à deux heures du matin, il s'assoit sur son lit, prend sa tête entre ses mains et récite une courte prière, avant de se lever en sautillant comme pour chasser l'engourdissement de ses muscles.

Nathan se réveille tôt. En fin d'après-midi, il se rend chez sa mère pour récupérer du linge. Au moment où il s'apprête à en partir, il entend la clé tourner dans la serrure. Nathan ne s'attendait pas à croiser sa mère.

— Nathan, mon fils, je suis contente de te voir.

Elle le serre longuement dans ses bras avant qu'il ne dise qu'il est pressé et doit partir.

Abrutie par les médicaments, elle ne semble pas comprendre et maintient son étreinte. Lorsque Nathan parvient à se dégager, elle hisse la tête vers lui, le regarde dans les yeux et lui demande ce qu'il fait en ce moment.

— J'ai trouvé du travail à la mairie, Maman.

Un sourire se dessine sur le visage d'une dame et ses yeux se remplissent de larmes lorsqu'elle prononce cette phrase :

— Tu as toujours été mon meilleur fils, Nathan. J'ai toujours su que tu y arriverais.

Nathan décampe sur ces mots, en s'efforçant de chasser de sa tête l'image d'une vieille dame défigurée par la vie, sanglotant dans les bras de son fils.

Goran arrive le premier au rendez-vous, à trois heures du matin. Il voulait se pointer en avance, être le premier sur les lieux et s'imprégner de la fraîcheur du matin qui s'annonçait. L'air frais brûle ses poumons. Il allume sa première cigarette, appuyé contre la clôture du terrain vague. Les cachets de benzédrine commencent à estomper l'effet de la grande fatigue nerveuse qu'il éprouve. Il cligne des yeux puis serre les poings, rapidement, une dizaine de fois. Tous ses muscles répondent à l'appel. Il attend vingt minutes, voit Karim surgir au volant de la voiture volée.

La bête au ventre, il m'est impossible de penser à autre chose. J'arpente ma chambre et imagine la scène déraper, échapper à tout contrôle. Mille histoires différentes, avec des images qui se bousculent et finissent invariablement tachées de sang. J'enchaîne des pompes pour ne pas y penser, jusqu'à tomber, haletant. Je pense à Julia, non pas parce que sa présence me manque mais simplement pour me rappeler la routine de mon quotidien. J'essaie de chasser la peur, me disant que je n'ai pas le droit de frémir. Mais c'est plus fort que moi, ça m'agrippe la gorge, me serre très fort, jusqu'à faire monter les larmes. J'attrape mon manteau et déguerpis.

Barbès, l'air froid du boulevard, le bruit des voitures et leurs silhouettes dans la nuit me calment un peu. Je m'assois sur un banc. Premier joint. Deuxième. Les griffes se relâchent peu à peu. Une heure passe, au ralenti. Il est minuit à ma montre. Retour chez moi, où je m'allonge sur mon lit, habillé. Réveil en sueur, deux heures du matin, et merde. Je ressors sur le boulevard et marche jusqu'au premier club ouvert, pour trouver ce que je suis venu chercher. Lumières bleues, salle vide. Le mec à qui je veux parler est seul au bar. Je prends le siège à côté de lui.

— Regardez qui voilà.

Je lui tends la main, amical.

— Bien ou quoi ?

— Ouais et toi ?

— Tranquillement.

— Qu'est-ce qui t'amène ici ?

— Je veux des amphet', tu peux m'avoir ça ?

— Ouais, attends ici, je reviens d'ici un quart d'heure.

Je commande un whisky et regarde autour de moi. Une seule fille sur la piste, camée jusqu'aux yeux. Le type revient avec ma marchandise. Je lui file le fric et planque les cachets dans ma poche. Dernier coup d'œil avant de sortir : la fille, emmenée aux toilettes par un gros dégueulasse, une pipe contre une trace.

Je rentre, fais passer les cachetons avec du whisky. Je sens l'effet des amphet' qui commence à monter. Je ferme les yeux et fais le vide dans ma tête. Un flash ocre éclate sous mes pupilles. Lorsque je rouvre les yeux, il est trois heures dix du matin.

Les mains enfoncées dans mon manteau, je m'approche du terrain vague. Je suis sur les nerfs et peux sentir toutes mes dents se dresser dans ma bouche, excroissances acides qui me brûlent la mâchoire.

J'arrive devant un grillage, remarque l'équipe au complet, réunie au travers des mailles d'acier. Ils sont tous là, le long d'une voiture grise, à fumer en silence. Ils ne savent pas que je les observe. J'allume une cigarette, recrache la première bouffée. Je vois Goran armer son flingue. Je détourne les yeux et termine ma clope.

La nausée me prend aux tripes sans prévenir. Je me mets à tousser, violemment, à me plier en deux, le souffle coupé, à me laisser glisser contre la grille. Je respire doucement et me dis que ça va passer. Je ferme les yeux, pendant quelques secondes, et prie, prie de toutes mes forces pour qu'on s'en sorte tous. Je me redresse, enfonce à nouveau mes mains dans mes poches pour me réchauffer, et me dirige vers eux, sans sentir mes jambes.

Sur le trajet, tout le monde reste silencieux, seuls quelques toussotements se font entendre. Je suis assis à l'arrière de la voiture et regarde devant moi, je ne veux pas croiser leurs yeux. Nous débouchons sur le boulevard. Nous attendons le dernier moment pour enfiler les cagoules, nos bonnets de gosses, tricotés par nos mères, dans lesquels nous avons découpé des trous aux ciseaux. Je saisis une arme tendue par Goran et la presse contre ma cuisse. J'ai l'impression que nous roulons lentement, je veux que tout aille plus vite. La voiture tourne au ralenti à l'angle d'une rue que je ne reconnais pas. Le bar apparaît subitement. Mes mains se raidissent sur la crosse du flingue.

La Renault pile sur le bitume. Je me mords la lèvre jusqu'au sang, je ne pense plus à prier. Goran sort le premier, s'introduit dans le bar sans même se retourner vers nous, fonce sur le mec qui surveille l'arrière-salle et pointe sur lui le canon de son arme avant qu'il n'ait eu le temps d'esquisser un geste.

— Ne bouge pas, enculé. Balance-moi ton flingue tout doucement, lui ordonne-t-il, sans que sa voix ne cille.

Le barman, lui, essuie ses verres et ne dit rien lorsqu'il nous voit arriver. Trésor saute par-dessus le bar et lui décoche un coup en pleines dents, avec la crosse du fusil. Le type s'effondre. Goran inflige le même traitement au mec qu'il maintient en joue avant de le traîner jusqu'au bar. Trésor verrouille la porte d'entrée. Nous sommes maintenant seuls dans la salle principale et nous nous dirigeons vers le fond, les armes pointées vers le sol.

La salle de jeu se cache derrière la porte avec l'inscription « Privé ». Toutes nos putains de vies face à cette porte à la peinture écaillée. Goran s'en approche rapidement, se retourne pour nous regarder – on doit avoir l'air sacrément con avec nos cagoules – et prend son souffle. La poignée oscille entre ses mains et la salle de jeu apparaît.

On s'y engouffre tous derrière lui, hormis Trésor, resté dans la première salle pour faire le guet. Nous ne rencontrons dedans qu'une petite table et cinq mecs autour, des cartes dans les mains. À notre arrivée, ils pointent la tête vers nous, sans avoir l'air vraiment surpris.

— Personne ne bouge, gueule Nathan.

Aucun d'entre eux ne réagit. Nathan s'avance vers le joueur le plus proche de lui, le balance de sa chaise et lui écrase la gueule avec son talon. Le type tente de se protéger, met ses mains en coupe devant son visage mais au deuxième coup on entend son nez céder. Le sang se met à couler à flots sur sa bouche d'où filtre une suite de gémissements.

On les fait tous se lever, se coucher par terre, la tête contre le sol froid, les paumes tournées vers le plafond.

L'argent du poker s'étale sur la table. Goran remplit le sac avec. Il y a beaucoup de liasses et parmi elles des billets de 500.

Le mec au nez brisé en vient à se marrer doucement, puis à partir dans un éclat de rire qui nous glace tous. Il fait peur à voir, tout seul, la face contre terre, chacun de ses gloussements formant des bulles de sang qui explosent aussi vite qu'elles sont apparues. Je sens le flottement poindre et décide d'agir. Je lui flanque la pointe de ma chaussure entre les côtes pour lui couper le souffle et le maintiens avec ma semelle. Lorsque je relâche mon emprise, il oscille la tête sur le côté. J'aperçois alors son visage émacié. Il appartient au gars mince et aux dents en or aperçu lors de ma première visite avec Nathan.

Il déglutit, recouvre son souffle et commence à parler d'une voix douce et assurée.

— Écoutez les mecs, vous avez voulu jouer les durs, vous allez me prendre un peu de pognon. Mais croyez-moi, je vais vous retrouver parce que Paris, pour les gars comme nous, c'est petit. Juste un conseil. Le pognon, je sais que ça va vous brûler les doigts, donc soyez prudents parce que le premier que je vois acheter une belle voiture ou faire le malin et devenir dépensier je lui ferai passer l'envie de jouer au bandit de grand chemin.

Sur ces mots, sa tête se fige en un rictus sanglant et cherche de nouveau mes yeux en se débattant sous mon pied pour finir par s'en dégager.

Malgré ma cagoule, il essaie de me dévisager.

— T'inquiète pas, mon grand, t'entendras plus parler de nous, lui lance Nathan.

— Le pire, c'est que je suis sûr que je vous connais déjà, sinon vous ne seriez pas en train d'éviter mon regard alors que vous êtes cagoulés, bande de connards.

Goran a fini de remplir les sacs avec les billets et nous donne le signal de départ. Nous nous retirons lentement en gardant nos armes pointées sur eux, toujours allongés par terre, à ne risquer aucun mouvement. Je ferme la porte derrière nous et en casse la poignée d'un coup de pied.

Le jour naissant nous mord les yeux quand nous filons dehors. Nous remontons dans la voiture, qui démarre doucement. Personne ne sort du bar. J'enlève ma cagoule et éponge mon visage trempé de sueur. Nous nous tapons dans les mains, plus soulagés qu'heureux. Mais aucun d'entre nous n'ose réellement parler, comme si nous étions tous restés là-bas.

Karim finit par demander comment ça s'est passé. On lui répond de la fermer. L'horloge sur le tableau de bord affiche 4 h 22. Paris s'éveille péniblement, avec une sale gueule de bois.

— Stop !

Ça part d'un coup, de manière spontanée, alors que tout le monde se taisait.

— Stop !

— Putain, qu'est-ce qui se passe Abe ?

J'ai déjà ouvert la portière, la voiture ralentit, j'en bondis au moment où elle s'arrête. Ils me regardent, bouches bées. Je les dévisage un par un, puis les préviens que j'ai besoin de faire un tour.

Je vois Goran sourire à travers la vitre.

— Je vous aime les mecs, j'ajoute avant de m'éloigner.

La rue, ses klaxons, ses lumières. Je cours jusqu'à reconnaître son quartier.

Je sonne chez elle, pas de réponse. J'inflige un léger coup d'épaule à la porte d'entrée, suffisant pour qu'elle s'ouvre. Je monte les marches deux à deux, jusqu'à son étage. Julia m'attend sur le palier, elle n'a pas l'air endormi et est habillée comme si elle revenait de soirée.

— Qu'est-ce que tu fais là ?

Je m'approche d'elle, son visage est couvert de gouttes de sueur, comme le mien. Je le serre entre mes mains et l'embrasse, ruisselant.

Et là je le sens, c'est furtif mais brûlant. *Putain, laisse ça de côté.*

Elle se laisse faire et part dans un rire sonore, comme soulagée. Je la pousse à l'intérieur. Elle m'attire vers le canapé, se laisse tomber et m'entraîne dans sa chute. Elle tend son cou pour me mordre l'oreille... ma tête, plongée dans ses seins.

Je sais...

Stop.

Je m'arrête, glacé. Elle me fixe, pâlit, m'embrasse de plus belle comme pour me ramener à la vie.

— Qu'est-ce qui ne va pas ?

Elle écarquille ses grands yeux humides.

Salope.

— Rien, rien, je lance d'un seul souffle.

— Viens alors.

Ma main sur ses jambes remonte, tremblante, pour s'immiscer sous sa jupe. Je la sens frémir, elle renverse sa tête en arrière, sa respiration s'accélère.

Ma main sur sa chatte. Maintenant j'en suis sûr, je la connais trop bien pour savoir quand elle triche.

56

Salope.

Elle remonte sa jupe sur sa taille et m'attend. Je viens à elle, mon front appuyé violemment contre le sien, nos corps maladroitement imbriqués.

Elle jouit avant moi. Je veux me retirer mais je n'en ai pas la force. Je jouis à mon tour, les mâchoires serrées. Je me retire, honteux d'être allé jusqu'au bout.

— Sale pute.

Elle ne répond rien, encaisse en silence, sans oser me regarder.

— Tu me prends pour un con ou quoi, ton corps entier sent le sexe. Depuis combien de temps tu te fais baiser par un autre, sale petite conne, hein ?

Le ton est monté, j'ai perdu d'avance.

Elle tourne la tête vers moi, les yeux pleins de larmes. Elle est là, allongée, à demi nue. Je n'ai même pas envie de la frapper, ça lui ferait trop plaisir. Je pars, laissant derrière moi une porte ouverte sur une petite fille en pleurs.

Encore la rue, morte cette fois. Je cherche une épicerie ouverte. Canettes de bières descendues en vitesse. Six heures du matin à ma montre. Je titube, gagné par un début d'ivresse, et mes muscles me font mal, comme si mes nerfs étaient gainés de plomb. J'entends une voiture arriver dans mon dos. Je ne me retourne pas. Le véhicule, qui roule au pas, arrive à mon niveau. La vitre descend, une femme au volant, la quarantaine. Je la fixe, canette en main.

— C'est triste de trinquer tout seul.

Je veux lui crier d'aller se faire foutre mais je n'ai plus de force.

— Allez monte.

Elle m'ouvre la portière passager. Intérieur cuir. Elle me dit qu'elle va m'emmener chez elle. Je la regarde, ai envie de lui parler mais aucun son ne sort de ma bouche et je laisse ma nuque lentement s'abattre sur l'appui-tête. Les lumières défilent. Au feu rouge, elle pose une main sur mon entrejambe et commence à me masser. Elle se gare bientôt, tire le frein à main, coupe le contact. Elle m'embrasse, me mordillant la lèvre. Je sens le goût de son rouge à lèvres mêlé à celui du whisky. Je la repousse et gicle de la voiture. Nous entrons dans un immeuble de rupins avec cage d'escalier en marbre. Elle appuie sur un bouton pour appeler l'ascenseur. Je remarque l'alliance à son doigt.

— T'es mariée ?

Je m'en veux tout de suite d'avoir ouvert ma gueule.

— Oh, oui, j'ai encore oublié de l'enlever. Ça ne t'effraie pas j'espère ?

Elle se colle à moi et m'embrasse à nouveau.

Dans l'ascenseur, elle se baisse et défait ma ceinture. Bruits de langue et de salive. Envie de vomir.

Les portes s'ouvrent, elle relâche son emprise, sort en roulant les hanches sur le palier. Je la suis dans l'appartement, tout débraillé. Elle allume la lumière. Des cadres apparaissent, avec à l'intérieur des photos de gosses, des putains de photos de gosses.

— Merde, t'as des enfants.

— T'inquiète pas, ils ne viendront pas nous déranger, ils sont en week-end avec leur père.

Pour la deuxième fois de la soirée, j'ai envie de frapper une femme. Je veux défigurer cette salope. Je veux lui briser le nez d'un coup de tête avant de l'édenter avec mes poings, pour que ces marmots ne puissent même pas la reconnaître. Mais pour la deuxième fois de la soirée je ne fais rien.

Elle m'entraîne vers la chambre, je la regarde se déshabiller, se diriger vers le lit et m'y attendre, offerte.

Je crois que je vais gerber.

— J'ai soif. Je vais chercher un truc à boire. J'arrive.

Je n'écoute même pas sa réponse et file dans le couloir. J'ouvre deux trois placards dans la cuisine, trouve une bouteille de vin et sors.

Toujours la rue. Je ne reconnais pas le quartier. Je casse le goulot de la bouteille sur le trottoir, pour l'ouvrir. L'alcool se met à couler. Je porte la bouteille au-dessus de ma tête pour en perdre le moins possible. Je m'en fous partout.

Je me réveille au petit matin, blotti à l'entrée d'un immeuble. Je prends le premier métro. Assis sur un strapontin, la tête entre les mains, je subis le trajet, fréquemment ballotté par les coups de frein. L'alarme à chaque fermeture des portes résonne encore sous mon crâne lorsque j'arrive à Marx-Dormoy. Sur le quai, quelques tox' m'accueillent. Étalés sur les bancs, ils regardent les métros passer, la gueule en vrac. Même eux ont l'air de passer une meilleure matinée que moi. Lorsque je sors de la station, le jour vient me crever les yeux. Je rentre à l'appartement dans un sale état. Mon père n'est pas là. Je m'assois sur une chaise dans la cuisine. Le soleil éclaire la table, embrasse la pièce. Je regarde tout ça, et je sens que tout coule, que la vie ici s'échappe, que je ne veux pas rester figé dans cette médiocrité, que si je m'éternise ici ma gorge continuera de se serrer, comme à chaque fois que tout se bouscule dans ma tête.

Je gagne ma chambre, attrape mon sac à dos et entasse le maximum d'affaires dedans. Je récupère le peu d'argent que j'ai sous mon matelas et cherche à le glisser dans la poche de mon manteau. J'effleure du métal, écarte ma main rapidement, comme si je venais de me faire mordre. Je réalise alors que j'ai gardé le flingue.

Je quitte l'appartement sans en refermer la porte, et dévale l'escalier, aussi vite que mes jambes me le permettent. Je marche sans but.

Je commence à avoir froid et glisse machinalement mes mains dans mes poches. Bientôt mes doigts rencontrent l'arme et se blottissent contre elle.

Je disparais du quartier pour dormir pendant quelques jours dans un hôtel miteux de Montreuil, puis dans un appartement pourri avec petit balcon, sous-loué à un marchand de sommeil dans le XIXe. Je veux rester seul mais j'ai besoin de toucher ma part du braquage.

Je décide d'appeler Goran.

— Qui c'est ?

— C'est moi.

— Abe ! Putain, t'étais où, ça fait une paye que tu ne donnes pas de nouvelles...

Je ne sais pas quoi répondre et finis par dire quelque chose comme :

— J'avais des trucs à régler.

— Putain, on s'inquiétait mon pote, on se demandait ce qui t'était arrivé. T'es rentré chez toi là ?

— Non, je t'appelle d'une cabine.

— T'es sûr que ça va ?

— Ouais, ouais, j'aimerais juste récupérer ma part.

— OK, ça marche, on a divisé en parts égales, ça fait dans les 8 000 euros par personne...

— Goran, putain je vous fais confiance ! Arrête tes palabres, je veux juste récupérer ma thune, tu comprends ça ?

— OK, c'est bon mec, je peux te l'apporter si tu veux ?

— Nan, c'est bon, je vais passer.

Je retourne dans le quartier le temps que Goran me remette l'argent. On échange quelques banalités. Ça se voit sur ma gueule que je ne vais pas bien, mais il ne me pose pas de questions. Il me connaît depuis suffisamment longtemps pour savoir que je ne parlerai pas. Au moment de nous quitter il me demande où je me planque. Je n'ai aucune envie de lui répondre. Toutefois, je finis par lui donner ma nouvelle adresse.

Chapitre IV

Je passe une semaine entière à ressasser tout ce qui m'est arrivé. Des images de Julia défilent au ralenti dans ma tête. Je l'imagine heureuse, délivrée. Puis son corps nu m'apparaît, entièrement disloqué. Elle est allongée par terre, ses membres forment des angles improbables, son visage est figé.

Ces tableaux se succèdent, jusqu'à me brûler les yeux, provoquant l'affolement de mes pupilles. Des bouffées de haine me montent dans la gorge et je dois respirer plus fort pour ne pas avoir la sensation de m'étouffer.

Une semaine entière, habité par ces fantasmes que je fais passer à coup de pilules et de whisky bon marché. Je reste hébété, ahuri, au beau milieu d'un pont schizoïde, entre mes hallucinations et une réalité morne, sans me décider à franchir ou non cette barrière, pas parce que je ne le veux pas, mais parce que je n'ai aucun pouvoir de choisir.

Au bout d'une semaine je finis par m'écrouler de sommeil. Je dors deux jours entiers. À mon réveil, je ne pense plus à rien, et me retrouve au beau milieu d'un appartement inconnu.

Une seule chose me prouve que je n'ai pas rêvé : les deux liasses de billets, retenues par des élastiques usagés, que Goran m'a remises. La plus grande somme d'argent ayant jamais transité entre mes mains, je l'ai gagnée en pointant une arme sur quelqu'un.

Rapidement, je me mets à acheter de la coke à un type de Montreuil, qui traîne pas mal dans le XXe. En parallèle, je chope un peu d'héro à un type qui vit près du Sentier. Je ne veux pas dépenser misérablement tout l'argent du braquage jusqu'à revenir au point de départ mais seulement remonter doucement la pente.

Si j'achète de la drogue, ce n'est pas seulement pour ma consommation personnelle. J'ai une idée derrière la tête. Avoir fréquenté Julia m'a appris que le milieu étudiant est assez friand de came et qu'il paie toujours rubis sur l'ongle, sans trop chercher à savoir s'il se fait arnaquer sur la marchandise ou pas, pour la bonne et simple raison qu'il n'y connaît rien. Je n'ai pas trouvé le plan du siècle, mais je suis excité à l'idée que mes neurones se soient naturellement remis en place.

Je zone dans le Quartier latin. Je déteste cet endroit. Quand je m'y rends, je réalise à quel point mon Paname me manque. Je ne comprends pas ce que les gens foutent ici. Chaque fois que je croise des touristes j'ai envie de leur cracher à la gueule. Croire que Paris c'est ça, des monuments propres et des petites rues commerçantes, pour les étudiants et les rupins. J'aimerais leur dire de venir chez moi voir ce qu'est Paris, qu'ils puissent regarder le taureau dans les yeux, sentir un peu son souffle, ne serait-ce qu'une seconde, jusqu'à être pris de vertiges. Mais au fond ils s'en foutent. Ils veulent être rassurés. Tous ces connards cherchent du propret, du confort, des paysages pour carte postale. Ils veulent tuer ma ville.

Il y a un bar où je me rends souvent, près du Panthéon. Quelquefois j'échange quelques mots avec des types, je bois un verre ou deux avec eux, je me montre amical sans trop en faire non plus. Je prends seulement la température, essaye de m'imprégner de l'ambiance.

Un soir comme un autre, assis au comptoir, à enchaîner les verres, à avoir pour seul vis-à-vis le reflet de ma gueule dans la glace derrière le bar, de mon crâne rasé, de mes arcades rosies par les cicatrices... sans mon teint basané, les clients me prendraient pour un skin. Alors que je me fais cette réflexion, le type qui boit sa bière à côté de moi m'adresse la parole.

— Je suis sûr que je te connais.
— Je ne crois pas.
Je ne détache pas les yeux de mon verre.

— T'es là tous les soirs, je te vois au bar à chaque fois.

Je ne réponds pas.

— T'es pas d'ici, hein ?

Je lève finalement les yeux vers lui. Il a une dégaine d'étudiant, barbe, cheveux longs, pupilles éclatées par l'herbe.

— Ça se voit tant que ça ?

Je lui lâche un sourire, il se détend avant de me proposer de partager un verre avec lui.

— Je suis avec quelques copains dans le fond de la salle, précise-t-il.

Je n'ai pas de raison de refuser. Je le suis. Sur le chemin nous menant jusqu'à sa table, il me tend la main.

— Au fait, je m'appelle Pierre... et toi ?

— Je m'appelle Abe. Enfin... Abraham.

À sa table cinq personnes nous attendent, quatre mecs et une fille, tous habillés comme des hippies. Pierre me présente à elles. Je réussis à leur envoyer un timide « bonjour » avant de m'asseoir et de me concentrer uniquement sur ma bière. Ils parlent beaucoup, de politique, des dérives de notre société et d'autres choses dont je n'ai strictement rien à foutre.

Je bois plusieurs demis, un petit sourire narquois aux lèvres. Je sais que toutes les personnes assises à la table, prétendument révoltées, avec leurs grandes idées à la con, aiment la came, et que tôt ou tard elles finiront par m'acheter de la dope avec l'argent qu'elles

reçoivent de papa et maman. Je pense justement à ça lorsque Pierre m'adresse la parole.

— Toi, t'en penses quoi ?

Je le regarde, un peu surpris qu'il m'ait
adressé la parole et que tous les yeux conver-
gent vers moi, comme si les gens attablés se
demandaient si j'étais capable de parler.

Pierre entrevoit mon malaise.

— Parce qu'on parle depuis tout à l'heure
du racisme, de l'État policier et tout ça…
Mais nous, on n'est que des étudiants. Alors
que toi…

— Moi quoi ?

Ma voix s'est faite agressive, sans que je
l'aie voulu.

— Bah, c'est toi la vraie victime de cette
société oppressive.

Et de nouveau les yeux braqués sur moi,
sur mon crâne rasé, sur mon nez cassé en
deux endroits, sur les cicatrices qui creusent
mon visage, vers luisants rosissant ma peau
tirée et mate.

— Tu veux que je te dise la vérité ? Je
pense que ce dont vous parlez, c'est qu'un
foutu ramassis de conneries. J'en ai rien à
foutre de vos états d'âme. Je ne souffre de
rien du tout. Je mène juste ma vie comme je
l'entends. Je ne suis pas étudiant moi, je ne
sais pas tenir un stylo.

— Nous sommes tous concernés par le fas-
cisme, Abraham. C'est là que tu te trompes…

— Mais vous délirez ou quoi ? De quoi
vous parlez, putain ?

— C'est pourtant simple...

Je commence à disjoncter. J'entends le bruit d'une branche brûlée qui s'effrite. Je me lève, les poings fermés.

— Dis encore une fois que j'ai tort devant toute ta petite assemblée et je t'éclate la gueule. Tu comprends ça ?

Je quitte la salle, sans me retourner.

Le lendemain, je retourne au bar. Pierre est là. Il vient à ma rencontre et me tend une main hésitante. Je le regarde en souriant, d'une manière de dire « laisse filer vieux », avant de la lui serrer. Nous nous saoulons à la bière et au whisky. Je le régale jusqu'à lui anesthésier la gueule. Lorsque le bar ferme ses portes, Pierre me dit qu'il lui reste une bouteille chez lui et m'invite à venir la siffler dans son appartement.

Chez lui, pendant qu'il sert les verres, je me déchausse, soulève la languette de ma basket, et prends le sachet de poudre. J'aligne une pointe sur sa table pendant qu'il me regarde faire.

— C'est quoi ton truc ?

— C'est de la rabla...

— Quoi ?

— C'est de l'héro.

— Ah putain...

— Ouais, j'en prends juste un peu de temps en temps.

Je ne suis pas un grand consommateur d'héro. J'en fume parfois mais je ne la tape jamais. J'espère la supporter pour ce soir, le temps de la lui faire goûter.

— T'en as jamais pris ?

Je me mets à le fixer d'un air étonné.

— Nan, nan, mais je me suis toujours dit que j'essaierais un jour...

— Attends, on va partager.

Je forme deux nouvelles traces sous ses yeux fiévreux.

Je tire la première. Il me suit, maladroitement, en répandant la poudre sur toute sa narine. Il veut se mettre à parler, mais je le fais taire d'un geste de la main. Je souris, doucement bercé, en constatant les effets de la drogue sur lui. J'observe ainsi qu'il reste un court moment assommé, avant de devenir blême et de se vomir dessus. Il essaye de boire une gorgée de bière pour se remettre mais la régurgite immédiatement.

Je patiente pendant quelques minutes, profitant du feu de camp qui s'est allumé dans ma poitrine, puis je me décide à partir. Je me lève avec précaution. Mes jambes ne sont pas très solides mais elles peuvent me porter. Pierre est affalé dans son fauteuil, il tourne de temps en temps la tête pour gerber, la drogue le purgeant lentement de tout ce qu'il a dans le ventre. Je trouve une couverture et la jette sur lui. Bientôt il commencera à avoir froid et se mettra à grelotter.

Dehors, je chancelle légèrement mais parviens à redresser ma silhouette jusqu'à la première bouche de métro. J'attends quelques minutes sur le quai avant de pouvoir m'affaler sur un siège, tandis que le métro aérien survole le boulevard où je jouais lorsque j'étais enfant. Mais je ne lui jette aucun coup d'œil à travers la vitre, comme si mon ressenti, qui remonte par bribes jusqu'à mon cerveau pour égrener la triste machine à souvenirs, était celui d'un autre.

Un mois passe sans que je ne revoie mes potes. Pierre et toute sa bande sont devenus de parfaits toxicos, élargissant à chaque occasion, sous prétexte d'expérience spirituelle, le cercle de mes clients au sein du milieu étudiant. Je ne m'en tire pas trop mal et commence à m'habituer à cette nouvelle vie solitaire. Le soir, quand je sors, je traîne loin de mon quartier, sur l'autre rive de la Seine, là où je ne connais personne. Je me suis laissé pousser les cheveux et la barbe pour rester incognito. Les gens payent cher ma dope. Tous ces connards qui culpabilisent d'être fils à papa et qui se rêvent une vie aventureuse veulent être comme moi. Je les fascine parce que je suis capable de casser le nez de quelqu'un qui me regarde mal. Ils ne savent pas qu'au fond je les envie car non seulement ils sont friqués aux as, mais en plus ils sont cultivés. Je les déteste parce qu'un jour leur respect pour moi cessera et je me retrouverai seul. Une vie les attend, ils changeront. Pas moi.

Le problème, c'est ma tête. Je ne fous pas grand-chose de mes journées, à part ressasser des conneries jusqu'au soir. Pour soigner ça, je me drogue de plus en plus et ça commence à devenir inquiétant.

Grâce à l'argent de la came, je peux sortir une nana de temps en temps. Il s'agit souvent de filles bien, mais paumées. Cependant, je ne pousse pas la chose trop loin, car j'ai l'impression de profiter de leurs égarements.

Je peux vivre des siècles comme ça, sans que rien ne vienne perturber mon inertie. Je ne suis ni plus triste ni plus heureux qu'avant et j'ai conscience qu'un simple déclic dans ma tête peut venir tout foutre en l'air, détruire ma parfaite mise en orbite. Ainsi je ne fais pas le deuil de ma vie d'autrefois car je sais que je retrouverai cette vieille fille au corps fatigué dont je connais chaque recoin, cette pute que j'aime par dépit, parce qu'il n'y a qu'elle qui me prodigue de l'affection.

Je dois me rendre à une soirée près de Saint-Michel. Je n'y vais pas pour m'amuser mais pour vendre ma dope. Je ne veux pas m'attarder, seulement effectuer ma livraison, prendre mon blé, boire un verre par courtoisie, rentrer chez moi, tirer une ligne et dormir.

Je sonne à la porte, Pierre vient m'ouvrir. Il me salue, m'amène jusqu'au salon où quelques personnes discutent, un verre à la main, avant de m'entraîner à l'écart, dans une chambre. Je m'y introduis après lui et tire la porte. Là, je lui remets le sachet, il me tend l'argent. Une fois la came empochée, il devient affable. À voir son rictus satisfait, j'aimerais lui éclater la gueule, lui en envoyer une bien méchante entre la bouche et l'arête du nez, rien que pour faire exploser son monde. Je vois mon poing traverser sa tête alors qu'il essaye d'entamer la conversation. Il faut que je sorte. Je rouvre la porte avec une vilaine envie de boire. Mais Pierre passe son bras par-dessus mes épaules et me dit à l'oreille :

— Ne pars pas tout de suite, Abe. Il y a quelqu'un qu'il faut que je te présente.

Décidément ce type est vraiment trop con. Je pense oublier le verre et partir au plus vite.

— Tu sais que je n'aime pas ça. Je ne vends pas quand je ne connais pas.

— Aucun problème, elle veut juste te parler. Et je suis sûr que quand tu la verras, tu changeras d'avis.

Elle a les yeux en amandes, d'un vert sombre. Lorsqu'elle me voit, elle sourit, avant de baisser les yeux. Je suis surpris. Je croyais haïr les femmes à jamais, et je me retrouve à la dévisager et à la trouver belle, sans pour autant éprouver une attirance sexuelle. Elle ressemble à une gamine perdue. On ne peut imaginer, en la voyant, que cette beauté naïve détruise son innocence avec de la poudre brune.

— Abe, je te présente Alexandra.

Il nous laisse tous les deux, au beau milieu du salon, noyés dans le bruit de la fête. Elle semble encore plus embarrassée que moi. Je décide donc de rompre la glace et de l'attaquer directement.

— Je suppose que tu ne voulais pas me rencontrer pour parler littérature.

Elle sourit et lève les yeux vers moi.

— Ça ne me dérangerait pas, tu sais.

Je lui rends son sourire, sans le vouloir.

— Il paraît que tu vends de la bonne héroïne. Mais il paraît aussi que tu ne vends pas à n'importe qui.

Je ne sais pas pourquoi mais je lui donne mon adresse, ce que je m'étais pourtant juré de ne plus faire. Je lui dis de passer chez moi le lendemain. En sortant, je m'en veux parce que personne ne doit savoir où j'habite. C'est sans doute parce que je n'ai pas vu de fille depuis un bout de temps que ma discipline a flanché. Mais au fond de moi, je me sais intrigué par cette fille, parce que personne ne m'a jamais parlé de drogue avec une voix d'enfant.

Le lendemain, elle frappe à ma porte en plein après-midi. Je lui ouvre, on se fait la bise. Je sens la chaleur de son cou en déposant mes lèvres sur sa joue. Elle me demande ce que j'ai fait de ma journée. Je lui réponds que j'ai eu plein de choses à faire. La vérité, et j'en ai honte, c'est que je n'ai attendu qu'elle.

Elle me lance un court regard, comme si elle le savait.

Elle s'installe sur mon canapé. Je vais à la cuisine et je reviens avec un rouleau de papier aluminium. J'en déchire une feuille que je pose sur la table. Elle se met à sourire pour de bon, nerveusement, comme un enfant contemple un cadeau qu'il s'apprête à recevoir. J'extrais de ma table basse un petit sachet d'héro, et j'en dépose une pointe dessus. Elle sort une pipe de sa poche, machinalement. Je la regarde dans les yeux au moment où je craque deux allumettes.

La flamme vient lécher le papier, odeur écœurante de l'aluminium en fusion, mêlée à celle, doucereuse, de l'héro qui se liquéfie. Elle aspire la fumée lentement, en toussotant avant de me tendre la pipe. J'aspire à mon tour, je garde la fumée pour moi et ne crache presque rien. Nous nous laissons glisser dans mon canapé. Elle se blottit contre moi. Mes bras tombent, doucement.

Un dragon flotte dans l'air, au-dessus de nos têtes. La chaleur envahit mes entrailles, devient irradiante. J'ai le poids de mon corps en moins, le poids de mon monde, toute cette merde qui me dévore chaque matin, qui me serre de ses doigts flasques sans que je n'ose bouger. De la lave en fusion coule dans mon ventre, relie tous mes organes entre eux, unifie mon corps et berce ma conscience.

J'essaye de me lever. Alexandra s'en rend compte et m'agrippe le poignet, fermement mais sans brutalité, comme si elle ne supporterait pas de me voir partir. Je sens ses doigts me traverser et je me fige. Je veux garder cette sensation gravée en moi, me rappeler ces doigts accrochés à ma chair, à ce que la vie offre de plus palpable, de plus vrai.

Je reste assis, à la regarder, comme un homme regarde une femme très belle, qu'il connaît très peu, mais qu'il imagine déjà à son bras. Et c'est là que je comprends que je n'assouvirai jamais tous mes désirs mais que je ne pourrai pas les abandonner, et qu'il vaut mieux l'admettre que de rester prisonnier de tels fantômes. Je peux jurer qu'en cet instant, j'aime cette fille, parce qu'elle m'a dévoilé la vérité.

Pendant quelques jours, je ne sors pas de chez moi, prisonnier d'un mutisme émotionnel qui me prive de mes forces. Je finis par être habité d'une violente envie de retourner chez mon père, de revoir mes amis, pour savoir s'ils ont vraiment existé un jour.

Et sans que je puisse comprendre comment j'en suis arrivé là, je retrouve les trottoirs qui me sont familiers et le bas de l'immeuble de Goran. J'ai l'impression d'avoir quitté le quartier la veille. Pourtant, j'étais persuadé que cet endroit me paraîtrait étranger, comme si notre vol avait changé la face du monde.

Mais rien n'a bougé. Les mêmes types sont là à s'agiter sous le porche, à parler fort, à vendre un peu d'herbe. Paris Nord est resté Paris Nord. Je me dirige vers eux, ils me voient approcher. J'ai peur qu'ils ne me prennent pour un autre avec mes cheveux longs et ma barbe, mais ils me reconnaissent. Je serre quelques mains et immédiatement les conversations se font plus discrètes, comme si ma gueule les gênait. Je demande s'ils ont vu Goran.

— Non, non, me répondent-ils en se montrant hésitants. Je serre l'arme dans la poche de mon manteau, sans réfléchir. Le contact du métal me rassure.

— Vous vous foutez de ma gueule ?

— Des mecs sont passés y a quelques jours, ils le cherchaient aussi. À mon avis, il a bien fait de se tirer. Ils avaient pas l'air gentil, me répond un des types que j'ai l'habitude de voir traîner avec Goran.

Je m'éloigne, sans insister. Je sais que les mecs qui cherchent Goran ont laissé un numéro, un moyen de les joindre si jamais il réapparaît ou si quelqu'un demande après lui. Et je suis sûr que dans tout le quartier, il y a plusieurs fils de putes prêts à nous balancer pour un billet.

Je rentre chez moi en regardant derrière mon épaule tout au long du chemin. À mon retour, je vole l'ampoule de l'escalier menant aux appartements, l'enveloppe dans un chiffon avant de l'écraser de ma semelle et de répandre les bouts de verre sur mon balcon. Je ferme ma porte à double tour et place une chaise contre la poignée. J'ai peur qu'ils aient retrouvé Goran. Je sais qu'ils le démoliront et j'imagine son visage plein de sang. Je le vois en train de supplier ses bourreaux, tandis qu'un type se rapproche de lui et colle le canon froid d'une arme dans sa bouche, et l'enfonce jusqu'au fond de sa gorge, avant de presser la détente.

J'ai besoin de me détendre. Je sniffe une trace d'héroïne que je fais passer en avalant ensuite une dosette de whisky. Je m'affale dans mon canapé et me surprends à serrer machinalement la crosse de mon arme dans ma poche. Je m'endors tout habillé en me disant qu'il est sans doute temps pour moi de quitter Paris.

Chapitre V

Des bruits viennent de dehors. J'ouvre les yeux, me redresse, attends quelques secondes. Rien. Je me rallonge, apaisé. Et puis le son du verre qui craque retentit. Je me lève d'un bond, plonge la main dans ma poche. Le contact de l'acier me réveille. Je m'accroupis dans l'ombre, les muscles bandés, l'arme pointée vers la fenêtre qui s'ouvre, lentement, comme si le vent l'avait repoussée. Le mec passe la tête en premier. Je l'attrape par le col de son blouson et le tire, l'envoyant valser au milieu de mon salon. Je pointe le flingue sur lui.

— Bouge pas, fils de pute.

J'esquisse un pas de côté et allume la lumière pour voir son visage.

— Mais putain, qu'est-ce que tu fous ici ?

— Moi aussi je suis content de te voir, frère.

C'est Goran, il est mort de rire et défoncé.

— Bordel, tu m'as fait peur, espèce d'enculé de merde.

— Mais putain, c'est que t'es devenu une vraie fillette depuis qu'on se voit plus.

Je souris et lui tends ma main pour le relever. Je suis heureux de le voir. Je sors des bières de mon frigo et l'invite à s'asseoir.

On reste là toute la nuit, à parler de la manière dont les choses se sont passées depuis l'affaire, en vidant des canettes. Je lui demande des nouvelles de Trésor et Nathan. Il me répond qu'ils sont partis dans le Sud, qu'ils voulaient aller sur la Côte d'Azur.

— On n'aurait pas dû le faire, je lui dis.

— Arrête de raconter de la merde. Si on l'a fait, c'est que ça valait le coup.

— Ça valait le coup tu dis, putain… maintenant on a cette bande d'enculés derrière nous et ils ne vont pas nous lâcher. Tu comprends ça, il faut qu'on serve d'exemple à tous les petits branleurs du quartier qui seraient tentés de faire la même chose que nous.

— Hé mec, il est où le problème ? T'as touché ton fric, comme tout le monde. Tu ne vas pas te mettre à cracher dessus.

— Ouais, tu parles, pour ce que ça a changé… J'aurais dû me tirer d'ici comme Nathan et l'autre.

— Mais putain, t'es vraiment trop con, tu crois que les autres ils ont commencé une nouvelle vie, que c'est un putain de changement pour eux ? Ces deux connards, tu crois qu'ils vont placer leur argent ? Je vais te dire ce qu'ils vont faire. Ils vont tout claquer en putes, en came et en conneries. Et après, eh ben après, quand ils auront plus un rond, ils reviendront ici, dans cette merde, la même que la nôtre, cette putain de merde dont on ne pourra jamais se séparer. Parce qu'on ne bougera jamais d'ici, Abe. On reviendra toujours traîner dans le coin parce que ces quartier pourris, ces néons à la con et ces seringues par terre, eh ben, j'y suis accro et toi aussi, et c'est pour ça que, avec le blé que t'as récupéré, t'as loué une piaule pourrie à deux pas de ce putain de boulevard. Hé oui, Abe, t'aurais pu quitter Paris, c'était l'occasion rêvée. Et qu'est-ce que t'as fait ? T'as choisi de vivre près de là où on jouait quand on était gosses.

Je ne réponds pas, il me met une tape sur l'épaule et me demande si je veux bien héberger un vieux copain pour un soir.

Je déplie le canapé qu'on va partager pour la nuit. Une fois couchés, la lumière éteinte, je demande à Goran comment ils nous ont trouvés.

Il fait mine de ne pas entendre ma question.

— Goran putain, arrête de me prendre pour un con.

— C'est Karim qui nous a balancés. Tu ne pouvais pas savoir, ne commence pas à t'en vouloir, Abe.

J'encaisse la nouvelle.

— Tu peux rester là autant que tu veux. Bonne nuit.

Les jours passent. Je pense beaucoup à Karim. Je l'ai proposé aux autres et voilà qu'il nous balance, alors que je le connais depuis des années. Ça me ronge, Goran l'a bien compris. Il me dit de ne pas penser à la vengeance, qu'on ne peut plus rien changer et qu'au moins on sait d'où vient le danger. Mais je me lève et me couche avec elle.

La nuit, je ne dors plus. Je somnole, hébété par la drogue et l'alcool qui viennent lancer la combustion d'un grand réservoir de haine. Je suis sûr que ma tête finira par me tuer, que cette roue, à l'intérieur, qui se met en branle en un éclair et qui tourne de plus en plus vite une fois lancée me rendra fou. Un jour, elle se détachera, quittera son axe et heurtera sans interruption les parois de mon crâne. Je vis en sursis et n'ai qu'un seul souhait : retarder l'échéance.

J'ai la trouille, me drogue à plus hautes doses et commence à pas mal toucher à l'héro. C'est la seule chose qui calme mon corps, qui chauffe mes entrailles. Ça ne chasse pas les démons, mais au moins je peux affronter leurs regards sournois toutes les nuits.

Je ne sors pas beaucoup. Lorsque Goran rentre, le soir, il me trouve dans le même état et se contente d'agiter la tête pour marquer sa désapprobation, pour me signifier qu'il n'aime pas me voir comme ça, mais que c'est à moi seul de me sortir de cette merde. Mais je reste là, abasourdi, et je me soigne à la

82

came, mon remède destructeur, comme un sans-abri plongerait ses mains dans un feu lors d'une nuit glacée, pour échapper ne serait-ce qu'un moment au froid.

Les jours passent, réveil comateux à midi. Je suis, comme tous les matins, en train d'agoniser dans le canapé, la gueule de travers, à me demander quel jour on est lorsque Goran entre comme une furie dans l'appartement. Il jette son manteau par terre, se met à tourner dans la pièce sans faire attention à moi.

— Hé mec, qu'est-ce qui te prend ?

Il ne me répond pas et regarde par la fenêtre, en écartant légèrement les stores de ses doigts.

— Et merde, merde... dit-il pour lui-même.

— Putain, qu'est-ce qu'il se passe ?

Il se retourne vers moi, blême.

— Ils nous suivent.

— Quoi ?

— Putain, ils nous ont retrouvés je te dis, je sais pas comment, putain, mais ils nous ont retrouvés.

— Mais bordel, qu'est-ce que tu racontes ?

— Il y a un type en bas, dans une voiture grise. Quand je suis sorti ce matin, il était dedans, et là, en rentrant je le vois... il n'a pas bougé.

— Et alors, ça ne prouve rien du tout.

— Mais si putain… mais si, maintenant qu'ils sont assurés qu'on crèche ici, ils vont se pointer et nous cueillir.

Je me lève en sursaut, mon cœur bat la chamade.

— Il faut qu'on parte maintenant.

— Non. S'il nous voit décamper, il préviendra ceux pour qui il bosse. Tu crois vraiment qu'ils vont nous laisser partir une deuxième fois ?

— Qu'est-ce qu'on va faire alors ?

Je sais à quoi il pense. Ses yeux sont fuyants, comme s'il n'osait pas dire ce qu'il avait en tête. Je comprends immédiatement comment cette histoire va finir. Je ferme les yeux et entame une courte prière avant de sortir.

Je prends la sortie de secours, derrière l'immeuble, tandis que Goran passe par l'entrée principale. Il se poste sur le trottoir, sifflote et traîne comme s'il attendait quelqu'un. Je m'approche de la voiture, le mec, bien trop occupé à surveiller Goran, ne me voit pas arriver. Je me faufile vers la portière côté passager, l'ouvre brusquement et pointe mon .38 sur lui. Il recule la tête, surpris. Je lui ordonne de ne pas bouger et m'assois dans la voiture à côté de lui, l'arme pointée sur son flanc. C'est un môme, il paraît bien plus jeune que moi.

Goran rapplique et me dit d'aller récupérer en vitesse les affaires à l'appartement. Je remonte, prends mon sac de sport et le remplis avec tout ce qui se trouve à portée de main. Le sentiment qui me saisit est le même que lorsque je suis parti de chez mon père. J'ai l'impression de répéter une fuite inutile. Je lâche le sac. Ça ne sert à rien de courir, je suis mon propre mal, je peux filer à l'autre bout de la terre, ça ne changera pas ma vie. Je ferme la porte et décampe sans rien emporter.

Goran me voit revenir les mains vides mais ne dit rien. Je pense qu'il a compris. Je monte derrière. Le jeune, tenu en joue, démarre la voiture. Goran lui indique le chemin en lui enfonçant l'arme entre les côtes.

Nous sortons de Paris. Personne ne parle jusqu'à notre arrivée sur le périphérique. C'est à ce moment qu'il commence à avoir peur.

— On va où ?

Pas de réponse.

— Où est-ce que vous m'emmenez, putain ?

Il ne peut masquer les sanglots dans sa voix.

— J'ai rien fait, putain. Je suis juste du quartier, je les connais depuis pas longtemps. À part des livraisons de came, ils m'ont jamais rien confié, j'ai rien à voir avec ça...

— Alors qu'est-ce que tu foutais dans cette voiture en bas de chez moi, connard ? dit Goran.

Le mec bafouille, nouveaux sanglots.

— Allez, ta gueule, roule et il t'arrivera rien.

Nous échouons dans une banlieue grise, avec seulement quelques jeunes sur des bancs, comme il y en a des dizaines pas loin de Paris. Nous n'avons roulé que quelques kilomètres, des tours s'élèvent au loin, blocs de béton sans âme, qui paraissent très loin de la tour Eiffel.

Les passants se font plus rares. Guidés par Goran, qui semble connaître le coin, on s'enfonce dans ce qui ressemble à une zone industrielle à l'abandon. On continue notre route jusqu'à apercevoir un grand bâtiment fait de tôle verte devant nous.

— Gare-toi près du hangar.

L'autre obéit et coupe le moteur. Il y a un silence, quelque chose de furtif, mais de très pesant. Goran tire le frein à main et le type commence à chialer. Il ne proteste pas quand je lui ouvre la portière. Il reste sur le siège, ses genoux tremblent tellement que je suis obligé de le prendre par le col et de le tirer hors de la voiture. Il finit par se redresser et avance tout seul jusqu'à la bouche du hangar, résigné, comme s'il connaissait déjà la suite.

On longe un long couloir, étroit. Il ne se retourne pas. Je l'entends gémir, peiner à trouver son souffle, renifler. On arrive devant une porte attaquée par la rouille.

— Ouvre !

Il essaye une première fois, mais il a tellement peu de force que sa main rebondit sur la poignée. Il est obligé de peser de tout son poids sur le chambranle pour faire bouger la porte. Le hangar nous accueille, vide mis à part quelques bidons gris. Le type s'arrête net, Goran lui abat son arme entre les omoplates. Il s'étale, la respiration coupée. Je reste immobile. L'autre peine à bouger, se plaint. Il réussit, après de longues secondes, à se hisser sur les genoux. Il est là, à quatre pattes, luttant pour atteindre l'équilibre. Goran lui adresse un coup de pied dans les côtes. Il retombe.

— Avance jusqu'au centre de la pièce.

Il obéit et se traîne, péniblement.

— Goran, je lâche dans un souffle, laisse tomber.

Mais il ne répond pas, continue à asséner des coups de pieds au type, qui commence à sérieusement gueuler.

— Goran, putain, c'est qu'un gamin.

Il ne m'écoute toujours pas. Alors je me mets à hurler jusqu'à ce qu'il se retourne vers moi, vide.

— Tu veux le faire, Abe ?

Je cherche la porte du regard.

— Tu veux le faire, putain ?

Le souffle coupé, je dois sortir.

Je cours dans le couloir, me cogne aux murs, ouvre la porte à la volée. Je cherche mon paquet de cigarettes, finis par le trouver. Ma main tremble tellement que je peine à sortir une tige et à la porter à mes lèvres. J'attrape mon briquet, mais impossible de le faire fonctionner. Putain de tremblote. Je m'y reprends à deux fois avant de faire apparaître une flamme vacillante, que je protège en serrant mes mains en coupe. La chaleur sur mes doigts me calme.

J'entends le coup de feu partir de l'intérieur du bâtiment. La détonation hurle à mes oreilles. La cigarette tombe, comme éjectée par ma gorge qui soudain se vrille. Je vomis entre mes doigts, tombe à genoux, secoué de spasmes. Mes mains appuyées contre le sol, je gerbe tout ce que j'ai dans le corps. Je bascule. La pluie commence à tomber, mon front touche terre.

Nous retournons à la voiture. Goran démarre. Je garde la tête contre la vitre, je ne veux pas croiser son regard car je lui en veux de m'avoir forcé à partager ça avec lui. Je le connais depuis longtemps, c'est un frère pour moi, et jamais je ne l'abandonnerai. Je ne le verrai jamais comme un assassin. Malgré toute ma volonté, j'oublierai son crime et j'en deviendrai l'obscène complice.

Nous abandonnons la voiture. Goran décide de prendre une chambre d'hôtel pour la nuit. Je le suis, je n'ai plus de force.

Rien à faire, quelques joints sont consommés. La petite chambre, où se trouvent deux lits étroits, est noyée dans la fumée. Goran, assis sur le lit en face de moi, roule, pour lui, un dernier stick. Je rejette ma tête en arrière, l'esprit barré, à dix mille lieues d'ici.

— Pourquoi tu l'as tué ?

J'ai besoin de savoir. Goran lève les yeux vers moi, hoche la tête de gauche à droite, comme s'il cherchait une raison à me donner.

— Tu veux que je te dise ce que tu veux entendre, que je regrette, que je ne sais pas ce qui m'a pris, que j'ai paniqué, que j'ai cru qu'on n'avait pas le choix.

Il s'arrête un instant avant de reprendre :

— Tu me connais depuis combien de temps maintenant ?

— Je ne sais pas, quinze ans.

— Quinze piges qu'on se connaît et tu me demandes pourquoi ?

Je ne dis plus rien, je ne veux pas lui faire avouer qu'il l'a fait juste comme ça, pour voir ce qui se passait, pour savoir si tuer un homme en changeait un autre, si après cela on se sentait puissant parce que l'on savait que si on l'avait fait une fois, alors on pourrait recommencer. Après tout, celui qui tue une fois n'est-il pas, jusqu'à la fin, un meurtrier ?

Ces pensées tournoient dans ma tête à la vitesse d'une centrifugeuse. Je veux quitter cette chambre. Avant de claquer la porte, je me retourne vers Goran et m'aperçois qu'il m'adresse un signe de la main, le sourire aux lèvres.

Dehors, sous les néons, je ne comprends pas ce qui m'est arrivé. Je marche, le regard fixé devant moi. Les scènes qui défilent dans ma tête deviennent floues, striées de sang, de larmes et de merde. Je ne fais que ressasser des bribes de pensées qui forment un pont confus avec la réalité. J'ai entrepris de me détruire, je sais que tout a basculé, que je ne ferai pas machine arrière. Je suis une personne, parmi des millions, qui se laisse dévorer par les flammes de son propre enfer.

Une silhouette qui entre dans un bar me sort de ma marche hallucinée. Je la suis, machinalement, et m'installe au bout du comptoir. C'est bien lui, je ne me suis pas trompé. Karim est devant moi, assis au bout du bar, à côté d'une fille à qui il débite des conneries. Ce fils de pute a l'air défoncé, il rit tout le temps. Je remarque qu'il a la main bandée. Je commande une bière et m'efforce de ne pas me faire remarquer. Il finit par se lever de son tabouret, se dirige vers le fond de la salle et pousse la porte des toilettes. Je le suis sans réfléchir et ouvre la porte à mon tour, lentement. Karim est là, dos à moi, il sifflote en pissant.

Je m'approche, lui prends la tête d'une main et l'envoie sur le mur d'en face. Son front s'écrase contre la faïence blanche, il tombe à la renverse, son pantalon descendu sur ses cuisses. Je vois du sang partout.

— Alors fils de pute, tu croyais t'en sortir comme ça ?

Il ne me regarde pas et se tient la tête à deux mains.

— Enculé, putain d'enculé de merde.

Je le bourre de coups de pied. Il ne se protège même pas. Les larmes me montent aux yeux. Essoufflé, je m'arrête de le frapper.

— Putain, je te faisais confiance, comment t'as pu faire ça putain ?

Il me coupe, la bouche pleine de salive et de sang.

— Tu crois que j'en suis fier, espèce de connard.

Sa voix me trouble, comme si je comprenais peu à peu ce qu'il voulait dire.

— Regarde, regarde.

Il défait son bandage et colle sous mes yeux sa main violacée, à laquelle il manque deux doigts.

— Regarde ce qu'ils m'ont fait, bordel.

La porte s'ouvre, un mec entre, voit le sang, ressort immédiatement.

— Tu crois que j'avais le choix, putain... Regarde ce qu'ils m'ont fait, ces enculés. Vous auriez tenu vous, putain, vous auriez tenu ?

Il se met à pleurer. Moi aussi. Je le prends dans mes bras et le serre fort, je maintiens sa tête contre la mienne, comme si je le berçais.

— C'est foutu maintenant... foutu...

Je finis par rentrer. Goran dort. Je décide de ne jamais lui raconter ce que je viens de vivre. Jamais je ne lui dirai ce que j'ai vu dans les yeux de Karim ce soir. Il n'a pas besoin de savoir que nous sommes responsables, il ne doit pas voir le monstre que nous avons créé en face.

Chapitre VI

Goran décide de prendre une autre piaule, dans le XIIIe cette fois. Sans savoir pourquoi, je le suis. Je n'ai aucune excuse. En refusant de fuir, j'ai conscience de faire du meurtre un acte fondateur.

Cependant, j'évite Goran au maximum, j'ai du mal à supporter d'être dans la même pièce que lui. Je traîne toute la journée, vais au ciné et reste seul... Je ne sais pas ce qu'il fait, je ne veux pas le savoir. Quand on se croise, en général le soir, on échange seulement quelques paroles teintées de malaise. Lorsque je le regarde, j'ai l'impression de voir ma gueule en surimpression.

Je donnerais tout pour oublier ces dernières semaines, reprendre ma minable vie d'avant. J'ai envie de revoir Julia. Je m'imagine aller, comme autrefois, la chercher à la fin des cours. Elle me dirait qu'elle m'aime, que ça ne changerait jamais. Plusieurs fois je songe à retourner chez elle, à tout lui raconter et à pleurer dans ses bras. Mais je sais que je ne le ferai pas car je suis un lâche, un coupable naturel qui se rêve victime. Je m'invente un bourreau qui me tourmente pour ne pas penser à cet échafaud que j'ai construit de mes propres mains.

Les cauchemars se répètent. Je suis dans une pièce sombre, ligoté, assis sur une chaise, face à un large bureau. Je ferme les yeux, pour m'habituer à l'obscurité. Lorsque je les ouvre, je trouve face à moi cinq personnes, étirant jusqu'au plafond leurs silhouettes drapées dans de larges toges blanches. Leurs yeux sont recouverts d'un bandeau rouge. Ils me fixent sans rien dire. Leurs mains, amputées, sont visibles sur la table… marionnettes à trois doigts qui captivent mon regard. Dès que j'ouvre la bouche pour dire quelque chose, ils éclatent de rire et la salle explose devant mes yeux en un tourbillon sauvage. Cela fait une semaine que je ne peux plus m'endormir sans éviter cette vision d'enfer.

Un matin comme les autres où je me réveille en nage. J'enfile un jean et sors en trombe de l'appartement. Je rentre dans la première cabine téléphonique que je vois. Les odeurs de pisse m'attaquent les narines alors que je compose le numéro. Elle répond à la troisième sonnerie.

— *Allô…*

— Oui Alexandra, c'est Abraham, je ne sais pas si tu te souviens…

— *Ah Abe, comment ça va ?*

— Ça va bien merci. Ça te dirait qu'on se voie ?

— *Oui, enfin quand ça ?*

— Cet après-midi, ça te dit ?

— *Euh, oui, je suppose que c'est bon.*

On se donne rendez-vous dans un café à Saint-Germain. J'arrive en avance et m'installe à une table. J'attends dix minutes, perdu dans mes pensées, avant qu'elle ne déboule. Elle a beaucoup changé et s'est totalement défraîchie. Si elle est légèrement maquillée, la poudre ne parvient pas à lisser les aspérités de son visage et ses cernes violettes, marques de camée régulière. Ses joues sont creusées, ses cheveux en bataille. Elle est habillée comme une hippie, pantalon large et gros pull en laine.

— Qu'est-ce que tu deviens ? je lui demande, après nous avoir commandé deux cafés.

— Pas grand-chose, j'ai arrêté mes études, et là je prends un peu le temps de réfléchir.

Je sais à sa voix, à son regard, qu'elle a basculé dans mon esprit, parce qu'elle était auparavant attachée à un souvenir immuable, celui d'une jolie jeune fille souriante. Je déteste le changement, il bousille tout ce que j'apprécie chez les gens. Il m'impose son visage immonde chez tous ceux pour qui j'ai de l'estime et que je revois détruits, le vulgaire de leurs traits me sautant à la gueule comme si on me balançait un seau rempli de merde au visage.

Elle n'est pas très bavarde, son regard s'accroche à n'importe quoi dans la salle. J'essaye sans succès de lancer la conversation.

— Est-ce que tu pourrais me dépanner d'un petit truc pour ce soir, je suis vraiment en rade là ? me dit-elle soudainement.

— Tu sais, je suis plus trop là-dedans, donc ça risque d'être compliqué.

— Je t'en prie, c'est vraiment important.

Sa voix est devenue suppliante. Le dégoût commence à monter.

— Je vais voir ce que je peux faire.

— C'est gentil. J'ai pas beaucoup d'argent en ce moment mais on peut s'arranger...

Son œil se fait aguicheur. La jeune fille que j'ai connue s'est métamorphosée en pute à came. Elle s'excuse et part aux toilettes.

Je reste là, seul, abasourdi, à faire tourner la cuillère dans la tasse de café, jusqu'à ce que le tintement du fer sur la porcelaine devienne insupportable. Subitement, je laisse des pièces sur la table, et m'empresse de partir. Je m'engage dans la rue, laissant derrière moi, flottant dans mon sillage, l'image d'une petite fille aux yeux clairs qui me tenait la main.

À mon retour dans l'appartement, je trouve Goran, comateux dans le canapé, digérant sa planante. Je file dans ma chambre, me glisse sous les draps et m'endors tout habillé.

Ils sont tous là, assemblée muette de saltimbanques, marée rouge striée de blanc sous mes yeux écarquillés. Je vois leurs mains mutilées. Je ferme les paupières et prie pour qu'ils me tuent pourvu qu'ils cessent de m'observer. Je rouvre lentement les yeux. Plus personne. Je regarde autour de moi, tente de bouger mes bras. Mes liens sont défaits. Je suis parfaitement libre.

Je me lève, étire mes membres endoloris, et m'approche de la porte. Je tourne la poignée et pénètre dans une pièce baignée d'ombre. Je devine une silhouette au milieu. La lumière naît, éclate d'un coup à mes yeux comme un soleil de sang. Mon père se balance au bout d'une corde au milieu de la pièce, pantin au visage convulsé par la douleur. Je cours vers lui et tente de le décrocher. Je force, tire sur ses pieds jusqu'à ce que la corde cède sous mon poids. Nous nous écroulons dans un ballet funèbre et je me retrouve le visage collé au sien, dans un ultime baiser. Je prends sa tête entre mes mains et sens ses vertèbres cervicales broyées. Son visage glisse entre mes doigts, comme s'il refusait de me regarder une dernière fois. Sa tête finit par m'échapper et vient s'écraser au sol, dans un bruit étrangement sourd. Ça dure un instant, et c'est fini. Il n'y a plus personne avec moi. Mon père est mort sans que le ciel ne se mette à gronder.

Je me réveille en pleine nuit, trempé, des gargouillis plein la tête. Je décide de rendre visite à mon père. Je retourne, encore une fois, dans le quartier, ce dernier me ramenant à lui invariablement, à moins que ce ne soit moi qui veuille m'infliger le spectacle d'un monde en ruines.

Je me retrouve devant l'immeuble où j'ai grandi et sonne à l'appartement. Pas de réponse. Je commence à avoir peur. Est-ce qu'ils ont mis la main sur lui ? Mille images de mon père, ne comprenant pas pourquoi on lui demande où se cache son fils, défilent dans ma tête. Je le vois se faire travailler au poing américain, j'entends ses côtes se briser une à une, son visage se transformer en une boursouflure rougeoyante. Je l'imagine pleurer, tenter de leur expliquer dans un sanglot qu'il n'a pas de fils, que le garçon qu'il héberge est un étranger pour lui, que lui aussi il souhaiterait qu'il meure, qu'il ne sait pas pourquoi Dieu l'a fait grandir sous son toit, qu'il se pose la question tous les jours et qu'il n'a jamais trouvé la réponse.

Je m'efforce de me calmer, en me disant qu'il a dû sortir faire une course, et frappe à la loge de la concierge pour en avoir le cœur net. Elle regarde par la vitre, ne me reconnaît pas immédiatement mais finit par m'ouvrir. Elle m'annonce que mon père est à l'hôpital. Elle ne sait pas vraiment pourquoi mais elle me dit qu'il est très malade. Elle m'indique où il a été emmené. Je ne sais pas quoi répondre. Je me fends d'un signe confus de la tête et pars comme un voleur.

Je file à l'hôpital. La salle d'attente est presque vide, il y a seulement quelques personnes qui patientent, assises. Je me dirige vers l'accueil et fais la queue un instant avant de me figer devant la réceptionniste.

— Je peux vous aider monsieur ?

— Oui, enfin je crois, je réponds après quelques secondes d'hésitation.

— Et qu'est-ce que je peux faire pour vous ?

— En fait, rien... rien du tout, excusez-moi.

Je tourne les talons et sors. Je décide de ne jamais revoir mon père. Je lui ai déjà dit adieu, il y a bien longtemps.

En marchant, je repense au braquage, au meurtre, et maintenant à mon père à l'hôpital, sans arriver réellement à faire le point. Je ne ressens pas un soupçon de culpabilité car j'ai déjà oublié les sensations procurées par ces expériences. La drogue, l'alcool, les sueurs froides quand vient la nuit sont les seules choses qui me sont familières. J'ai perdu pied, happé par mon tombeau que j'ai refermé sur mon corps encore frémissant.

La crise d'angoisse me frappe alors qu'il commence à pleuvoir et que je me suis abrité sous un porche. Je reste là, figé, durant toute une vie. L'averse s'arrête et je reprends peu à peu le contrôle de mes muscles. Je regarde mes poings s'ouvrir et se fermer, lentement. Mon affliction s'efface, le passé est absorbé par le présent, par la réalité de cette chair qui lentement se rallie à la conscience. J'ai récupéré mon existence.

Maintenant je suis sûr que le corps et l'âme ne font qu'un. Ainsi, tout s'arrête en même temps. La mort n'est ni une fin ni un commencement, elle n'est rien, pas même un bouleversement. En réalité, ma vie ne change rien à la marche du monde.

Je sens la fatigue arriver, une délicieuse lassitude s'empare de moi. Je marche sans savoir où aller, mais je sais que c'est dans le bon sens. Je préfère me brûler les ailes, quitte à mourir avant trente piges, que ranger les étagères d'un supermarché jusqu'à la fin de mes jours. De toute façon, je sais que je chercherai toujours le vide.

J'ai appris ces dernières semaines qu'il n'y a pas de retour en arrière possible, pas de seconde chance. Je n'accepte aucune larme, pas même les miennes. Ce que j'ai fait, je l'ai choisi, aucun homme ne m'y a poussé, et même si ce n'est pas moral, je n'ai à en répondre devant personne. Ma conscience ne peut plus me désavouer. J'avais le choix entre la folie et la vie, entre ma raison et le mal, et j'ai fait mon choix. J'ai pris cette infâme décision, celle d'imposer partout ma violence, parce que je refusais de souffrir une seule seconde de plus.

Je me rappelle cette soirée avec Nathan. On aurait pu choisir n'importe quel endroit, les bars sinistres ce n'est pas ce qui manque dans le coin. Pourtant, on a choisi de rentrer dans celui-là.

Je retourne à l'appartement. Goran est là, assis dans le canapé. Je souhaite lui dire ce qui vient de se passer. Je me plante devant lui mais aucun son ne sort de ma bouche. C'est alors que survient l'ultime réminiscence d'un passé désormais frelaté.

J'arrive dans la salle de classe, la démarche chaloupée, involontairement singée sur celles des grands de mon quartier. On nous fait asseoir devant des petites tables. Le bruit des conversations m'épuise. J'arrive à repérer deux ou trois connaissances que je salue d'un petit signe de tête. Je hais l'école. Le type à ma droite a lui aussi l'air aigri. Je ne l'ai jamais vu. Même assis, on devine qu'il est grand. Il a la peau mate, les cheveux très noirs, les yeux sombres. Il ne sait pas que je l'observe.

Le professeur entre et la clameur dans la salle de classe baisse d'intensité jusqu'à ne plus être qu'un murmure. Il nous demande de remplir une fiche d'informations. Je saisis mon stylo maladroitement et commence à écrire. J'inscris ma date de naissance. Je jette un coup d'œil sur mon voisin, le nouveau. Je vois sa main tracer malhabilement les mêmes chiffres

*que moi. Je le regarde franchement, l'air inqui-
siteur, je ne comprends pas tout de suite.*

*— Je crois qu'on est nés le même jour. Il
sourit.*

— C'est plutôt rare, non ?

— Ouais je crois. C'est quoi ton nom ?

— Goran et toi ?

— Oh ça va ? Putain Abe, ça va ?

La voix de Goran résonne dans ma tête et
les souvenirs me quittent.

— Oui ça va, pourquoi ?

— Ça fait deux minutes que tu restes
planté là sans rien dire. T'es défoncé ou
quoi ?

— Non, non, je t'assure.

Il se lève, me regarde un instant et dit :

— On dirait que t'es redescendu.

— Ouais mon pote.

Il se met à rire. Je le suis, sans peur.

— Ça te dit de sortir ?

— Tu veux faire quoi ?

— Aller voir un combat de boxe.

On prend le métro jusqu'à la station Cha-
ronne. On continue notre chemin quelques
minutes à pied jusqu'à arriver devant un
gymnase. Je ne sais pas comment Goran
connaît cet endroit, je ne lui pose pas la question. Il n'y a pas grand monde aux abords de
la salle, juste quelques types en train de
fumer devant une porte en acier. Derrière
elle, une salle au milieu de laquelle se trouve

un ring entouré d'une centaine de chaises en plastique.

Il y a du monde à l'intérieur, ça sent la sueur rance. L'écho amplifie toutes les voix, des conversations se font et se défont sous mon crâne.

Goran achète deux places à une vieille assise derrière un petit bureau. Il nous déniche des chaises pas trop loin du ring. Je vais nous chercher deux bières et reviens m'asseoir. Goran allume deux cigarettes et m'en tend une, à l'aveuglette, ses yeux restant fixés devant lui, prisonniers d'une parcelle de vide. Je jette un regard autour de moi, qui embrasse la salle un instant. Le bruit et les visages me brûlent les tempes. Je cligne des paupières plusieurs fois, essaye d'évacuer la tension qui me gagne sans toutefois y parvenir.

Mais la cloche, qui sonne le début du combat, marque la brutale interruption de mon voyage sur Mars. Deux types entament leur danse sur le ring. L'un est noir, petit mais massif. L'autre est grand et fin, avec la peau très légèrement hâlée, semblable à celle des gitans, et le nez de travers. Le Noir avance, mâchoires serrées, les muscles roulant sous sa peau.

L'autre est détendu, il sautille et esquive facilement les premiers coups lancés. On dirait une ballerine. Tout son corps est relâché et ce n'est qu'au dernier moment qu'il incline légèrement la tête pour éviter des droites qui tombent comme des parpaings.

Le premier round se termine. Les deux boxeurs ont beau regagner leur coin, le gitan ne quitte pas son adversaire des yeux. Ses lèvres amorcent un sourire avant de reprendre le combat. Le Noir lui rentre dedans d'emblée. L'autre bloque, se laisse rebondir dans les cordes, se penche et lui envoie un crochet dans l'oreille. Le Noir recule, l'autre se redresse et déploie ses bras qui, au début élastiques, se durcissent au contact de la peau. Les impacts s'entendent dans toute la salle. Le Noir a du sang qui lui coule sur les yeux.

Fin du deuxième round. Le troisième est sans appel. Le gitan vise, lance le bras, chasse la poussière du bout de ses gants, et fait mouche à chaque fois. Le Noir halète, il croit éviter un jab du gauche, se courbe et prend un uppercut du droit entre le menton et la lèvre. Le coup suivant ne l'atteint pas, sa tête a déjà touché le sol. L'arbitre le décompte. Le gitan lève les poings en l'air, une seconde, et va donner une sobre accolade à son entraîneur. En un rien de temps la salle se vide. Je n'arrive pas à chasser de mon esprit l'image de frelons rouges qui dévorent l'espace. Goran me tape sur l'épaule et me fait un signe de la tête. Je ferme mon blouson et me lève d'un bond, en faisant tomber ma chaise.

Nous sortons. Le froid chasse les rougeurs de mes joues. On décide de marcher jusqu'à République.

— Putain, je pensais pas qu'il y aurait autant de monde.

— Abe réveille-toi ! On est samedi soir...

Je me réveille le lendemain avec les idées claires. Goran est déjà debout. Il me regarde et, comme s'il lisait dans mes pensées, il me dit :

— Au fait, je n'y avais pas pensé mais j'ai le numéro du pote de Nathan, le type qui nous a vendu les armes.

Il n'a pas besoin d'ajouter un seul mot, je comprends très bien ce qu'il veut dire. Désormais nous devons être armés, pas par nécessité, mais par choix.

— On va l'appeler tout de suite.

On quitte l'appartement, à peine éveillés. La lumière du jour nous fait mal. On entre dans un bistrot. Je commande deux cafés tandis que Goran sort téléphoner. Il me rejoint à une table deux minutes plus tard.

— Alors ?

— Il m'a donné rendez-vous à Châtelet, il passe me prendre en voiture.

— Pour aller où ?

— Putain, Abe, j'en sais rien.

Il me lâche un sourire.

— On va réunir l'argent qu'il nous reste. Tu lui diras qu'on veut deux flingues.

— Il nous reste pas grand-chose.

— Bah, t'auras qu'à lui dire qu'on est deux potes de Nathan.

— Tu crois vraiment qu'il en aura quelque chose à foutre.

Je retourne seul à l'appartement où je traîne un peu, me prépare du café et me force à ne pas prendre de came. On va manquer d'argent et ça m'inquiète. Je laisse un tas de pensées anodines m'effleurer pour éviter d'y songer. On n'a toujours pas de nouvelles de Nathan et de Trésor. Peut-être sont-ils rentrés à Paris ? À vrai dire, je me fous de ce qu'ils deviennent. La seule chose qui m'importe, c'est de récupérer une arme.

Goran finit par rentrer, une boîte à chaussures sous le bras. Il l'ouvre devant moi. Je découvre alors deux revolvers chromés, à canon court.

Il se laisse bruyamment tomber dans le canapé, souffle un grand coup.

— Putain, ce type, c'est un sale fils de pute.

— Pourquoi, il était méfiant ?

— Putain, cet enculé était complètement à cran. Il vient me chercher à Château-Rouge. Quand je lui dis que je veux des armes tout de suite, il se met à flipper. Je lui dis : « Putain calme-toi, je suis pas un enculé de flic, c'est moi Goran, un type du quartier… » Et là il me répond : « Ouais, je te connais pas moi, tu me dis t'es du quartier, t'es un pote de Nathan… »

Je commence à m'énerver et, là, cet enculé me pointe un flingue sur la gueule.

— Non, vraiment ?

— Je te jure, il a pointé un putain de canon sur ma tempe.

— Et alors ?

— Bah, j'ai pas bougé. Putain, je te jure que j'ai pas bougé, même pas un cil. Il a vu que j'étais pas impressionné et il a arrêté... Abe, jure-moi qu'on tuera ce fils de pute.

Je ne dis rien, me lève et m'apprête à quitter la pièce.

— Abe, jure-le-moi.

Je reviens vers Goran. Des nuages de fréon flottent dans mon estomac. Désormais je sais que je ne joue plus.

— Tu n'as pas besoin de ma parole. Bien sûr qu'on le tuera.

Chapitre VII

Avoir de nouveau une arme me rassure mais cet achat a entamé nos dernières économies. Je ne veux plus manquer d'argent, je refuse de faire machine arrière. Dorénavant je ne laisserai plus rien échapper à ma volonté. C'est la promesse que j'ai faite à ma conscience, c'est l'antidote au mal qui me ronge.

J'annonce à Goran qu'on doit trouver de l'argent. Je laisse les mots sortir de ma bouche, sans réaliser ce qu'ils signifient. Une simple phrase, sous laquelle est enfouie une flaque de sang et de larmes, une simple phrase qui a un pouvoir d'arraisonnement sur le cours de ma vie. J'ai à peine parlé, pourtant la bile monte instantanément dans le fond de ma gorge et ma pomme d'Adam commence à faire des allers-retours.

— Je sais tout ça, Abe. J'aimerais bien moi aussi me ramasser un paquet de blé. Mais putain, où est-ce que tu veux qu'on trouve cet argent ?

— Quand je suis parti du quartier, après le braquage, j'ai acheté ma came à un mec qui traîne près du Sentier. Il s'appelle Max. C'est un vrai connard, qui essaye toujours de te la mettre sur les doses si tu le surveilles pas. Bref, ce type, il fournit souvent les fils à papa et il ramasse une sacrée quantité d'oseille.

— Arrête tes conneries, on va pas braquer un petit dealer.

— Laisse-moi finir, Goran. Un samedi soir, après sa tournée, il était bourré et pour faire le malin il m'a montré une liasse de billets. Il y avait facilement plus de 10 000 balles. En plus, ce con m'a avoué qu'il gardait tout chez lui.

— Et tu sais où il habite ?

— Nan, mais on va bientôt le savoir.

— Mais il te connaît, non ?

— Ouais, et ça va nous aider.

— *Allô ?*

— Allô Max, ça va, c'est Abe.

— *Qu'est-ce que tu veux ?*

Le ton est sec. Cette espèce de connard veut jouer au dur.

— Je veux juste te voir, ça fait longtemps. On pourrait peut-être aller boire un verre et discuter…

— *Ouais.*

« Espèce de sale connard », je pense très fort.

— Ah, ça me fait plaisir. On se retrouve où ?

— *À Château-d'Eau, à dix-huit heures.*

Je le retrouve à cet endroit quelques minutes en retard. On se serre la main et on entre dans le premier café rencontré. On s'assoit, je commence à parler, à débiter des banalités, j'attends qu'il m'arrête, ce qu'il fait rapidement.

— Abe, je m'en fous de tes histoires. Dis-moi pourquoi tu voulais me voir ?

— Je veux juste te proposer un coup en or. Voilà, j'ai un copain qu'arrive sur Paris. Tu sais, il n'est pas d'ici et il a 50 grammes d'héro à refourguer. Mais voilà le problème. C'est qu'il ne connaît personne et qu'il a besoin de thunes très vite. Donc c'est possible de lui racheter son truc moitié prix. Si j'avais de l'oseille en ce moment, je l'aurais fait, mais je suis à sec.

— Et toi, qu'est-ce que tu gagnes dans l'affaire ?

— Bah c'est simple, je viens de te donner le plan, donc tu me refiles un petit quelque chose.

— Je le connais pas moi ton mec, et je ne fais pas d'affaires avec les types dont j'ai jamais entendu parler, réagit-il après quelques secondes de silence, d'un ton cassant.

— Écoute, si je viens te voir, c'est que j'ai pas envie d'aller voir les mecs de mon quartier parce qu'ils vont chercher à me niquer. Donc, si je fais affaire avec un type comme toi, c'est justement parce que t'es seul et que t'es réglo. Maintenant, si ça t'intéresse pas de la came moitié prix, t'es qu'un connard et tu sauras jamais faire de biz.

— Tu me prends pour un rigolo ou quoi ?

111

J'ai touché juste. Il ne veut pas passer pour un amateur. Il se gratte le crâne et me dit :

— OK, ça marche, je passe te prendre demain à dix heures et demie rue Saint-Denis. Tu m'emmènes chez ton pote. Je vois la marchandise et si c'est bon, on se retrouve le soir pour la transaction. On discutera de ton pourboire plus tard.

— Ça me va.

Je lui serre la main avant de partir, en le fixant, malgré moi, comme on regarde un mort. Il me sourit et je me surprends à lui rendre sa bonne humeur, amusé par le fait de découvrir un condamné affable avec son futur bourreau.

Je rentre et raconte tout à Goran, qui me félicite avant de m'expliquer le scénario du lendemain. La nuit tombée, je m'endors sans penser une seule fois à ce qui m'attend.

Je quitte l'appartement à dix heures pour me rendre rue Saint-Denis, j'ai dit à Max que j'habitais là. Une demi-heure plus tard, il me retrouve et je monte dans sa voiture. Sur le chemin, il me raconte des conneries, et je m'oblige à le relancer, je lui cire les pompes pour qu'il se détende. Je le dirige vers le nord de Paris, à l'endroit dont on a convenu avec Goran. On roule une vingtaine de minutes avant que je ne lui indique la ruelle où il doit se garer.

— On est arrivés.

— Putain, c'est pas rassurant comme endroit.

Je ne réponds pas et descends de la voiture. Il me suit et a juste le temps de se dégourdir les jambes avant que Goran ne sorte de l'ombre et lui assène un violent coup de crosse derrière la tête.

Goran le bâillonne avant que je l'aide à le balancer dans le coffre.

Lorsqu'il revient à lui, Max est dans une cave, ligoté sur une chaise. Il se met à gueuler, sans qu'on comprenne ce qu'il dit. Je m'approche et lui enlève son bâillon.

— Putain, espèce d'enculé tu m'as baisé…

Le premier coup, fort au creux des reins, lui coupe le souffle. Je lui en envoie un autre derrière les oreilles avant de prendre son visage dans ma main.

— Tu me dis où tu habites et où tu planques ton argent, sinon je te coupe les doigts.

Pas de réponse. Je sors le sécateur, lui tiens une main dans le dos, lui bloque un doigt. La tenaille d'acier vient se presser contre sa phalange. Ses sphincters lâchent, il hurle et s'évanouit.

On lui fout des claques dans la gueule et on asperge son doigt amputé d'alcool à 90°. Les hurlements reprennent. On recommence à le travailler jusqu'à ce qu'il craque.

Goran s'essuie le visage avec un mouchoir. Moi aussi je suis en nage. L'odeur de la merde mélangée à celle du sang me pique les narines. Max gît, inconscient, sur sa chaise. Il a avoué. Sa tête tombe sur le côté. Je sors l'arme et la pointe sur lui mais j'hésite à tirer. Je suis saisi d'un doute : si jamais il nous avait menti. Je cherche une issue avant de me résigner à l'abattre. Je regarde Goran, puis ma cible. Je ne sais pas trop où viser. Je me recule pour ne pas être éclaboussé et essaie de trouver la tête au bout de la ligne de mire. Je tremble tellement que la première balle lui passe au-dessus. La deuxième fait mouche. Le bruit de la détonation résonne, fait trois fois le tour de mon cerveau, avant de le vider des enfers qui y tournoient.

On reprend sa voiture et on roule prudemment jusqu'à chez lui. Max n'a pas menti. Dans son frigo, il y a dans les 3 000 euros et près de 100 grammes de coke. Goran, tout sourire, sort le blé et la came et met le tout dans un sac de sport. On se prépare à sortir quand retentit le bruit d'une clé qui tourne dans la serrure. On se plaque contre le mur, chacun d'un côté de la porte. On entend une voix de femme demander s'il y a quelqu'un.

Celle-ci enchaîne trois pas dans l'appartement, et, au moment où elle ferme la porte derrière elle, Goran l'agrippe par les épaules et la plaque contre le mur. Je lui enfonce l'arme dans la nuque.

— Surtout ne bouge pas et ferme les yeux.

Elle commence à gémir. Je lui arrache son sac et je le vide par terre. Sa carte d'identité tombe.

— Ton mec est parti et il reviendra pas. Je garde ta carte d'identité. Je sais où t'habites.

Si jamais tu avertis quelqu'un, on viendra te rendre visite. D'accord ? je lui glisse dans l'oreille.

Elle hoche la tête.

— Maintenant tu vas rester ici et compter jusqu'à cent à voix haute. Si tu bouges avant, je te tue.

Elle commence à compter, en sanglotant à chaque chiffre, les yeux fermés très fort pour les empêcher de s'ouvrir par accident.

Ses sanglots s'intensifient.

— Je n'ai pas vu vos visages. Laissez-moi, je ne dirai rien.

— Ferme ta gueule et compte, putain.

Elle recommence à compter.

— Plus fort !

Elle s'exécute. Les larmes coulent de ses yeux. Goran me regarde avec hésitation. Un coup de feu dans l'immeuble, c'est risqué.

On gicle dehors. La rue nous rend notre anonymat et la fraîcheur de la soirée délivre mon corps de la tension nerveuse accumulée. On prend le métro, sans rien dire. De retour à l'appartement, je laisse Goran compter l'argent. J'ai besoin d'une douche. Je reste debout sous le jet, les mains appuyées contre le carrelage, le corps offert à la chaleur d'une eau purificatrice. Une fois lavé, j'enfile des habits propres.

— Je vais faire un tour, Goran.

— Qu'est-ce que tu vas foutre encore ?

Je m'approche de lui, comme si je ne voulais pas parler trop fort.

— Je vais balancer l'arme. On peut pas la garder ici. De toute façon, il nous reste un flingue.

Goran me regarde, inquiet. Il va ouvrir la bouche mais je le devance.

— Ne t'inquiète pas, on en achètera un autre en temps voulu, mais on peut pas se permettre de garder celui-là.

J'endosse mon manteau et je sors.

Mes nerfs commencent à se calmer alors que je marche, serein, vers la Seine. J'attends d'être seul et balance l'arme en plein milieu du fleuve. J'ai l'impression que tout Paris entend le bruit du calibre qui vient frapper l'eau. Je me retourne et réalise que je suis absolument seul.

Je rentre, épuisé par une marche qui a duré presque deux heures. Goran n'est plus dans l'appartement. Je me dirige vers la chambre, me déshabille, et m'allonge dans mon lit.

Je rentre dans une pièce baignée d'une lumière ruisselante et plisse les yeux deux fois avant de les ouvrir en grand. Il y a deux types assis à une table où des armes sont posées. Ils me regardent en souriant. Je les connais, je les ai vus à deux reprises déjà, dissimulé derrière ma cagoule. Je m'approche d'eux, je ne ressens rien. Le grand maigre aux dents en or a du sang sur sa chemise. Son nez pend sur le côté.

116

— Je crois que tu m'as cassé le nez, m'apostrophe-t-il.

Sur ces mots, les deux commencent à glousser. Je m'avance vers la table et m'immobilise, les deux pieds bien plantés dans le sol. Je les regarde, impassible, comme si je regardais un tableau. Ils continuent à rire, des larmes tombent de leurs yeux.

— Vous ne pouvez rien me faire, je leur dis calmement.

Ils s'arrêtent brusquement de rire, me fixent du regard. Le grand veut ouvrir la bouche mais il se ravise. Les deux s'observent à nouveau, commencent à se sourire et partent à nouveau dans un rire sonore. Je jette un œil au plafond, leur tourne le dos, et marche tranquillement vers la porte, sans peur. Leurs voix retentissent derrière moi.

— Ne pars pas, reste un peu avec nous.

Je ne me retourne pas. La terre s'assombrit sous mes pas. Une tache se dessine au sol. D'abord compressée, je vois ses contours se dessiner peu à peu jusqu'à me retrouver nez à nez avec un crâne d'une blancheur immaculée.

Je me réveille le lendemain avec la sensation d'avoir dormi des siècles. Je sais en ouvrant les yeux que tout va bien, que mon corps me répondra aujourd'hui. Je n'ai pas ressenti ça depuis longtemps.

Ma vie devient plus simple au fil des jours. Je n'ai plus peur. Cette marée d'argile, qui pétrifie tout sur son passage, refuse désormais de m'emporter avec elle. J'ai déjà tué, je suis sûr que je peux recommencer.

Je sais que je ne vivrai pas comme ça très longtemps. Mais personne ne peut prédire ma fin : je peux crever d'une balle dans le dos mais je peux aussi me faire écraser par une voiture, comme un con, en allant chercher des clopes. La majorité des gens ont peur de la vie et la seule chose qui les empêche de se flinguer, c'est de croire qu'il y a une justice, que, finalement, tout ira bien pour eux. À aucun moment ils n'envisagent la vie comme un processus chaotique, comme quelque chose de fortuit, qui ne doit pas son cours à une volonté supérieure mais seulement à un lancer de dé. Un dé dont on ne connaît ni la forme, ni le nombre de faces.

Je dis à Goran qu'on ne doit pas flamber tout l'argent mais qu'on doit acheter de la came. Ajoutée à celle qu'on a trouvée, ça nous donnera de l'envergure. Je lui parle des pigeons de la rive gauche qui achètent la dope à prix d'or. Je lui dis qu'on minimisera les risques en entreposant la came dans des caves en périphérie, où les types viendront se réapprovisionner.

Je reprends contact avec Pierre et lui donne rendez-vous dans un appartement, une planque qu'on a louée avec Goran. Lorsque je lui ouvre la porte, je peine à le reconnaître, il a perdu une quinzaine de kilos et ressemble à un vrai hippie.

— Salut Abe. Putain, ça fait plaisir de te voir !

J'ai immédiatement envie de lui envoyer mon poing dans la bouche. Je me retiens. Je lui expose rapidement les faits.

— Pierre, je vais reprendre les ventes à la Sorbonne et tu vas me servir d'intermédiaire. Je te laisse un peu de came de très bonne qualité. Tu la fais goûter à un maximum de gens et tu dis que tu peux en avoir facilement. Et après tu prends les commandes. Je passerai te voir au bar où tu vas tout le temps. Il faut que tu y sois tous les soirs car je passerai à l'improviste, une fois par semaine. Je prépare la came, tu ramènes le blé et on te donne la came. C'est comme ça que ça se passe. Au passage tu touches bien évidemment un salaire, plus une commission selon la transaction.

— Ouais, mais c'est risqué pour moi.

— C'est pour ça qu'on te paye.

— Je sais pas trop.

Je commence à sentir des brûlures sous mes paupières.

— Écoute-moi bien, espèce de connard. Regarde l'état dans lequel tu es, tu vendrais ta mère pour une trace. Alors viens pas faire ton difficile.

Je sors le revolver restant de la poche de mon manteau, enlève cinq des six balles du barillet et fais tourner ce dernier avec la paume de ma main. Pierre commence à chialer devant ce sinistre tourniquet. Dès que

119

je lui enfonce le canon dans le cou, il ferme les yeux et débite une prière à voix basse. Je lève le chien de l'arme. Pierre se chie dessus. Clic. Je baisse le canon vers le sol et lui murmure dans l'oreille :

— Tu vas faire ce que je te dis, tu vas le faire bien et tout le monde va être content. Tu me piques de la came et je te descends, tu parles trop et je te descends, tu frimes devant tes potes et je te descends, tu vas parler aux flics et je te descends. Fais ce que tu veux de ton temps libre, j'en ai rien à foutre. Mais fais-toi remarquer une seule fois et je te jure que ça finira mal pour toi.

Il a l'air détruit. C'est exactement ce que je veux. Je lui inflige une petite tape sur la joue.

— Écoute-moi, mon pote. J'ai confiance en toi, tu vas te faire de l'oseille facilement. Ne t'inquiète pas. Ça va bien se passer et tu me remercieras.

Je sors un petit sachet de came, fais deux lignes sur la table.

— Allez, détends-toi, mec.

Il se jette le nez en avant sur la table et tape la coke en un rien de temps. Il s'affale ensuite dans le canapé. Je lui allume une clope avant de lui poser la main sur l'épaule.

— Je compte sur toi, mon pote.

Je lui donne le sachet. Il me sourit démesurément. Je peux voir toutes ses dents. Il hoche la tête de manière convulsive, sans s'arrêter. Il est terrifié.

Je rentre voir Goran et lui raconte toute l'histoire.

— Tu es sûr qu'il tiendra ? Je fais pas confiance aux camés.

— Pour le moment on est tranquilles. Il a trop peur et trop besoin de se payer sa came. Il nous lâchera un jour mais il n'a aucun moyen de remonter vers nous. C'est sans risque.

— Et le jour où ça finira ?

— On trouvera autre chose, Goran.

— Tant mieux, parce que la came ça m'excite pas trop.

Il déglutit avant de reprendre :

— Moi, j'aimerais refaire des braquos.

Je ne réponds pas. Il sait que je pense la même chose.

Le lendemain, on achète, en liquide, une BMW d'occasion, avec des phares jaunes. Je demande à Goran de me déposer dans le V⁰ en début de soirée. Au moment où il me laisse, ma montre indique 18 h 00. Le Panthéon se dresse devant moi et, comme à chaque fois que je passe devant, je me demande si ces « grands hommes » sont contents d'être là, seuls, enfermés, comme des cons, en haut d'une montagne. Je traîne une heure à marcher dans le quartier avant de me rendre dans le café dans lequel j'ai rencontré Pierre. J'ai pris le flingue avec moi, on ne sait jamais.

Je m'installe au bar et jette un coup d'œil dans la salle. Pierre n'est pas là. Je commande une bière. Aux tables, il n'y a que des étudiants, des chevelus en train de refaire le monde. L'horloge tourne, je commande une deuxième bière et commence à me dire que ce fils de pute ne viendra pas. Mais il finit par se pointer. Je prends mon demi et on va tous les deux s'installer à une table, un peu à l'écart. Il a le visage ruisselant, des cernes sous les yeux. Je lui adresse un clin d'œil lui signifiant que tout va bien se passer, qu'il n'a pas besoin de s'inquiéter. Rassuré, il se détend un peu.

— Alors, ça a été cette semaine ?

— J'ai fait comme tu m'as dit. J'ai été à toutes les soirées. J'ai fait goûter la came à pas mal de types.

— Et ?

— On m'a commandé pour douze grammes en tout, et c'est que le début…

— Tu t'es bien débrouillé, Pierre.

Il sourit. Il sait qu'il aura sa récompense.

— Passe demain à l'appartement dans lequel je t'ai donné rendez-vous. La porte sera ouverte. Dans l'évier de la cuisine il y aura un sachet. On se voit la semaine prochaine.

Je me lève et glisse dans la poche de sa veste un billet de 100 et un gramme de cocaïne. Je sors sans me retourner.

Je rentre à l'appartement retrouver Goran. Je lui raconte tout, il est content. On discute d'autres choses, on fume un joint, assis dans le canapé du salon. Goran se lève, sans rien dire. Il ouvre le frigo.

— Abe, on n'a rien à bouffer et on n'a plus de bières.

— Ouais, je sais.

— On va faire les courses.

— Je ne veux pas sortir.

— Allez, on y va en voiture.

— Alors tu conduis.

On décide de faire un petit tour avant d'aller à l'épicerie. On roule tranquillement dans Paris, vitres baissées. Il y a un peu de monde dans les rues, on sent que la nuit commence. Ça fait partie de ces rares moments où Paris semble paisible, où ses habitants sont détendus. Deux heures plus tôt c'était le bordel, la sortie des bureaux, les métros bondés, les connards en costard pressés de rentrer chez eux. Deux heures plus tard, ce sera les embrouilles, les coups de surin et les droites qui partent pour un rien. Mais en attendant, Paris se laisse apprivoiser.

Goran commence à jeter plusieurs coups d'œil dans le rétroviseur. Il cligne des yeux, encore et encore.

— Putain, Goran, qu'est-ce qu'il y a ?

— Rien du tout. Pourquoi ?

— Arrête de te foutre de ma gueule. T'as tes putains d'yeux rivés sur le rétro depuis tout à l'heure.

— Tu vois la Renault noire là derrière ? Je l'ai déjà vue après t'avoir déposé cet après-midi.

— Tout le monde a cette voiture...

— Je te jure, Abe, je te jure.

— Goran, t'es défoncé et tu racontes des conneries. Maintenant regarde la route et arrête, putain.

La Renault disparaît du rétro. Goran se détend et éclate de rire.

— Putain, laisse-moi me rêver en ennemi public numéro un...

Il ne finit même pas sa phrase tellement il rit.

Il gare la voiture en double file devant l'épicerie. J'ouvre la portière et marche vers le magasin. Il se met à pleuvoir. Goran fait descendre la vitre avant que je ne rentre.

— Oublie pas mes bières, enculé.

Je fais un tour dans les rayons. J'arrive à la caisse en sifflotant.

Je repars les mains pleines, un sac rempli de bouffe dans une main, les bières sous le bras. Je pousse la porte de l'épicerie du pied et me retrouve dans la rue. Goran fume une cigarette, adossé contre la voiture. Il se tourne vers moi et me parle. Je ne l'écoute pas. Mes yeux restent concentrés sur la voiture noire qui vient vers nous. Je la vois ralentir, s'arrêter à ma hauteur, vitres baissées. Les connexions se font trop tard. J'entends le premier coup de feu avant de comprendre. La balle brise la vitrine de l'épicier. Je me jette à terre, derrière notre voiture. Une arme automatique se met en route, me déchire les tympans. La voiture redémarre en trombe. Je sors mon arme maladroitement, essaie de viser le véhicule en fuite, tire deux fois, un peu au hasard. Puis le silence pendant quelques secondes. Une femme se met à gueuler. Goran est accroupi contre la voiture comme moi. Il a l'air sonné. Je me relève et lui dis de bouger, vite.

Il me répond oui de la tête. Il se met debout. Je commence à courir, jette un regard derrière mon épaule. Goran chancelle. Ses jambes sont arquées et tremblent. Il se laisse tomber contre la voiture. Je reviens sur mes pas. J'ai toujours l'arme fumante à la main.

— Mais qu'est-ce que tu fous, bordel ?

Je le tire par le col. Il a la main pressée contre son cou et ne dit rien. Je lui passe le bras sur mes épaules, et j'essaie de marcher vite, en l'entraînant avec moi. Il retire la main de son cou, le sang commence à ruisseler.

— C'est rien Goran, on va soigner ça. Mais d'abord on va se tirer d'ici.

Je sens les larmes commencer à monter. Je lui explique que ce n'est rien, un milliard de fois. Il s'appuie de toutes ses forces sur moi. Mon bras est ankylosé. On commence à croiser des passants qui s'écartent de notre route et se mettent à crier. Mon bras lâche, Goran s'effondre. J'essaie de le relever mais je n'y arrive pas. Je lui prends la main et le traîne, par terre, comme si je tirais un pantin en ciment. J'ai son sang partout sur moi. La rue se met à hurler. Je le lâche. Je me penche sur lui.

— Goran, ne bouge pas, je vais chercher la voiture et je te ramène à la maison.

Il ne répond rien. Son visage est calme, le blanc de ses yeux me renvoie du vide. Je perçois du rouge autour de ma tête et un point bleu au loin. Je me lève et hurle :

— Appelez une ambulance !

Un homme sur le trottoir d'en face m'entend, se met à courir quand il voit mon flingue. Je retourne vers Goran et j'entends les sirènes, les portières qui claquent, les policiers qui me demandent de lâcher mon arme. Je commence à crier. Ils n'écoutent pas ma complainte et me disent qu'ils tireront si je ne lâche pas mon calibre. Je jette le pistolet, je sens des mains, par milliers, qui m'entraînent, me plaquent par terre, font claquer les menottes sur mes poignets. Goran gît la bouche ouverte, à côté de moi. Les policiers lui prennent le pouls.

— Ne le touchez pas, vous allez le tuer. Ne le touchez pas, bande de fils de putes…

Ils sont trois à faire pression sur mon dos. Le visage plaqué au sol, je bouffe le béton. Je ne vois plus Goran. Je me mets à hurler jusqu'à couvrir les paroles des policiers. Je vais étouffer. Je prends une grande bouffée d'oxygène. Tout se brouille, la pluie redouble d'intensité, les trombes d'eau viennent rincer mes larmes et noyer mes cris.

Remerciements

Merci à Yasmine, pour son soutien et sa précieuse relecture du texte, à Benjamin, supporteur de la première heure, à Jean-Luc Nativelle, pour m'avoir encouragé à écrire, et bien sûr à Chad, pour avoir partagé tous mes délires de galérien.

Merci aussi à mes parents, ma sœur, toute ma famille, et en pagaille : Bruno la Pige, Nono, Le Rat, Pedro, Adil, Arbia, « The pimp » Cordellier, Yoyo le peintre, Hadi l'affranchi et enfin, au grand Alejandro Ruggiero.

AVERTISSEMENT : Les personnages et les situations de ce roman étant purement fictifs, toute ressemblance avec des personnes et des situations existantes ou ayant existé ne saurait être que fortuite.

Composition
PCA à Rezé

Achevé d'imprimer en Italie
par GRAFICA VENETA
le 21 mars 2014

1er dépôt légal dans la collection : février 2012.

ÉDITIONS J'AI LU
87, quai Panhard-et-Levassor, 75013 Paris

Diffusion France et étranger : Flammarion